TE MOE OM TE

LUK SAFFLOER

Te moe om te sterven

Overleven met chronische vermoeidheid

Davidsfonds/Leuven

Waar sta ik nu? Hoe moet het verder?

Ik ben een van de tienduizend mensen in dit land met een onver-klaarbaar syndroom dat een normaal leven onmogelijk maakt: CVS of het chronisch vermoeidheidssyndroom. Voorlopig is er geen enkel mid-del dat ons kan genezen, geen enkele uitweg die definitief beterschap kan brengen, geen enkel vooruitzicht dan de hoop dat andere mensen ons blijven helpen. Tot zolang is het: overleven met chronische ver-moeidheid.

Was er twintig jaar geleden geen onbekend virus in mijn bloed te-rechtgekomen, zou mijn leven ongetwijfeld heel anders geworden zijn. De bekende Vlaming zou misschien nog bekender geworden zijn; de dolle molen van de amusementskermis zou - ook voor mij - zijn blijven draaien. Meedraaien of afspringen? Nu moest ik wel springen, maar had ik eigenlijk nog langer willen meedraaien?

Had ik niet zelf de vernedering van deze ziekte zozeer gevoeld, dan had ik niemand ooit verteld dat ik eraan leed, dan zou ik dit boek ook nooit geschreven hebben: de wereld is immers vol zieke mensen en het grootste leed blijft nog altijd onbeschrijflijk.

Had ik omwille van mijn werk niet zo ver achter de schermen kunnen kijken, dan had ik nooit geweten welk onvoorstelbaar onbegrip er over deze ziekte bestaat; welke zinloze discussies er wereldwijd ge-voerd worden over de ondraaglijke vermoeidheid van zoveel mensen die nauwelijks nog een stem hebben om te reageren. Gelukkig zijn er ook wetenschappers en dokters die hun eigenbelang opzij hebben gezet en ondanks alle tegenkantingen blijven helpen en verder zoeken. Ze zijn schaars, maar ze zijn er. Nu verdienen ze erkenning, niet later, wan-neer de prijzen allang verdeeld zijn.

Als mijn vrouw niet voor mij was blijven kiezen, zou ik nu volkomen alleen staan, want wie aan CVS lijdt heeft weinig te bieden, alleen nog zijn hart. Dit boek heb ik geschreven voor wie er helemaal alleen voor staat, want dit is geen ziekte die je alleen kan dragen. Dat er iedere dag opnieuw radeloze mensen zijn die omwille van een smerig syndroom zozeer uitgeput geraken dat ze voor zichzelf geen enkele andere uitweg meer zien dan de dood, zegt genoeg.

24 maart 1997

Op de kronkelende baan achter Brakel, vlak voor de splitsing, zien we eindelijk de kerktoren van Sint-Kornelis-Horebeke. Ik ben blij dat Márti vandaag rijdt, want er zijn al betere dagen geweest. We hebben samen *Het kleinste schooltje* gemaakt: een documentaire die een paar weken eerder, toen nog op TV2, in *Document* werd uitgezonden. Vandaag komen we afscheid nemen van Lutgarde en Jeanine en hun veertien schoolkinderen, de veertien leerlingen van het allerkleinste schooltje van Vlaanderen. We hebben hier een paar dagen 'gedraaid', met de juffen, de kinderen en hun ouders, met de helft van het dorp. Het was fijn werken, maar ik voel me een beetje ongemakkelijk dat hun verhaal ook weer verteld is, dat alles weer voorbij is.

'We mogen Betty en haar kleutertjes zeker niet vergeten,' zegt Márti.

'En haar fotootjes teruggeven,' zeg ik en strek mijn verkrampte benen uit.

Vandaag is geen goede dag, ook geen slechte. Ik voel dat ik de namiddag zal halen: niet meer, maar ook niet minder.

We steken een oude man op een fiets voorbij, hij houdt zijn ogen gericht op de betonnen weg die naar de dorpskom leidt. Ik kijk achterom.

Bijna dertig jaar leef ik samen met An. Ik heb drie kinderen en een kleinzoon, ik was ooit zanger en ben nu al meer dan twintig jaar producer. Tot vandaag heb ik mijn werk nog vrij behoorlijk kunnen doen, al heb ik de tweede helft van mijn leven meer en meer verstek moeten geven. De afgelopen tien jaar heb ik zware klappen gekregen, ik heb leren leven met een onverklaarbare, slopende vermoeidheid die komt en gaat, die me weken lang lamlegt, weer afneemt en voor enkele dagen hoop op beterschap geeft. Valse hoop.

Amper drie jaar geleden vernam ik dat ik al die tijd aan een syndroom leed: aan CVS of het chronisch vermoeidheidssyndroom – het is niet eens een ziekte.

Maar ik ben ziek. Ik weet zelfs waar het begon, maar niet hoe en vooral niet waarom.

→←

Het was 1978 en An en ik waren op weg naar Rotterdam voor een concert van Bob Dylan, de eerste keer dat hij in Europa optrad. Onderweg – alsof we zijn teksten nog even wilden memoriseren – luisterden we naar de cassette van zijn laatste album *Street Legal*. Met Dylan wist je echter nooit, en we hoopten stellig dat hij straks ook zijn vroegere liedjes zou zingen. We reden over de lange brug over het Hollands Diep en zagen meer en meer wagens met Belgische nummerplaten. Er werden 60.000 concertgangers verwacht in het voetbalstadion van Feyenoord, en in de buurt van Ridderkerk leek het alsof we in een grote gemotoriseerde bedevaart naar Compostella waren terechtgekomen. Aan het Feyenoordstadion begon het gewriemel pas echt. Overal op het uitgestrekte parkeerterrein kwamen mensen uit hun auto's en we schoven in dichte drommen achter elkaar naar de poorten van het stadion. Onze zitplaatsen waren hoog in de nok van de ovalen kuip. We schuifelden in een lange, moeizame klim over de eindeloze betonnen trappen naar boven, als een laatste boetedoening vooraleer we dit geïmproviseerde heiligdom mochten betreden. Rechts in de diepte van het voetbalveld was een indrukwekkend podium gebouwd en op de grasmat stonden al duizenden fans te wachten op de komst van de Meester. Het was een adembenemend schouwspel van ontelbaar veel, verschillende mensen: een trillende mozaïek van wriemelende kleurvlekken die allemaal naar één punt gericht waren, het altaar van de muziek. Eric Clapton begon aan het voorprogramma. De lucht werd donker en er stak een nijdige wind op. Door onze verrekijkers zagen we hoe het publiek aan de overkant beschutting zocht voor de striemende regen. Het werd kouder, maar toen Bob Dylan eindelijk aangekondigd werd, ging er een immense schokgolf door de massa. De band begon te spelen en een overrompelende lawine van muziek en gejuich rolde over de betonnen tribunes naar het veld beneden.

'Sixteen years…,' de eerste woorden van Dylan weerklonken en in een tomeloze uitbarsting van opgespaard enthousiasme sprong iedereen recht om de kleine stip op het podium beter te kunnen zien. Er volgde een aardschok. En onder mijn voeten begon het reusachtig colosseum te trillen op het ritme van *Changing of the guards*. Het was een overweldigend gebeuren. Tien jaar voordien had hij met visionaire teksten ons leven een andere wending gegeven en al dacht Dylan er nu wellicht anders over, voor velen was hij nog altijd dé profeet van de nieuwe tijd. Veel was intussen verloren gegaan, maar nog altijd kon hij bij miljoenen mensen, over de ganse wereld, dezelfde gevoelens losmaken. Bij het overdonderend applaus tussen ieder liedje, barstte telkens weer de hel los: het publiek werd alsmaar uitzinniger en de tribunes gingen op en neer onder het gedaver van honderdduizend stampende voeten. Ik was nog nooit eerder in zo'n groot stadion geweest en ik vreesde dat het hoge bouwwerk zou bezwijken onder het ontketend geweld van de losgeslagen massa. Ik keek om me heen, maar blijkbaar had niemand er ook maar enige moeite mee – misschien voelde ik alleen maar mijn eigen opwinding die in mijn lijf bleef natrillen? Wat er ook zou gebeuren, het maakte geen verschil, het hoorde bij het ritueel en dat zou zich – zoveel was zeker – hoe dan ook voltrekken. De magische stem van Dylan en de bezwerende kracht van zijn boodschap hielden ons gevangen. Zijn taal was tijdloos, opgebouwd met woorden en zinnen die geen andere volgorde toelieten, geen tussenweg duldden. Hij gebruikte oude parabels om zijn vertwijfeling en onmacht te beschrijven, duistere beelden en metaforen waarin hij goed en kwaad benoemde.

'I had a pony, her name was Lucifer' of: 'Can you tell me what we are waiting for, Señor?'

De cirkel sloot zich meer en meer en ik vergat helemaal waar ik was, de tijd, de omgeving, de mensen met wie ik gekomen was, mezelf. Ik gaf me over aan het ritme en liet me willoos drijven op de tonen van zijn muziek, op de kracht van zijn teksten. Het was voor iedereen duidelijk, hij zong over ons. Hij vertelde de kroniek van het mensdom: ontluisterend en sacraal, ontroerend en cynisch tegelijk. Toen de band de plechtige, gedragen opening speelde van Is your love in vain? hoorde ik de Air van Bach. Dezelfde cascade van klanken, dezelfde betekenis. Ik kon de idee niet uit mijn hoofd zetten dat Dylan en Bach vooraf al het eindpunt van alle muziek kenden, alsof zij er al een punt achter hadden gezet, nog voor het eigenlijke thema was aangesneden. Ik luisterde naar de intro, naar de statige ondersteuning door blazers, orgel en vrouwenkoor, naar een basso continuo waarop zijn schorre stem nadrukkelijk en smekend bijna, om liefde vroeg: 'Are you willing to risk it all?'

Ik hoorde een slotstuk dat een begin was, een waterval die achteruit stroomde en – tegen de tijd in – langzaam omhoog viel.

Wat er daarna gebeurde, weet ik niet meer precies, maar niets was ooit nog hetzelfde.

'Are you willing to risk it all, or is your love in vain?'

Vanuit een donkere verte die ik niet kon vatten viel een loodzware deken van vermoedheid over me heen; het stadion begon te kantelen en een schroeiend vuur in mijn achterhoofd sloeg brandende pijnvlekken in mijn kop. Alles tolde en er stond – alsof het om een bijzonder 'special effect' ging – een reusachtige grote, trillende 'M' voor mijn ogen. Ik hoorde immens mooie muziek, maar ook een aanhoudend moemakend gemurmel van een menigte mensen, een machteloze massa. Misselijk! Ik voelde me ziek, zwaar ziek en ik kon amper nog bewegen. Wat gebeurde er met mij?

Een diepe rilling snokte door mijn lijf, een vuile gletsjer priemde met ijskoude schokken door mijn rug omhoog, naar mijn nek en mijn schouders. Het deed pijn, overal, in een lichaam dat ik niet meer herkende. Het gewicht nam toe en de zwarte kou schoof nu over mijn borstkas. Mijn longen werden leeggedrukt tegen mijn ribben. Ik begon te hijgen, kreeg geen lucht meer en voelde een hart dat alsmaar sneller en zwaarder begon te kloppen, een hart dat niet van mij was. Ik moest hier weg, opstaan, ergens beschutting zoeken, maar ik was verlamd. Ik kon mijn benen niet meer optillen. Mijn hoofd stond op barsten. Toen hoorde ik een vreemd suizend gesis en een hard geplof dat van elders kwam.

'Kijk, vuurwerk!'

De pijn zakte weg en het begon langzaam tot me door te dringen dat het concert voorbij was – ik had het niet eens gemerkt.

'Wou je nog lang blijven zitten?'

Ik keek naar An die me lachend rechttrok, terwijl achter haar strepen en sterren van gekleurd licht spetterend en knallend opensprongen in de blauwzwarte lucht.

'Het gaat over,' zei ik en ik durfde haar niet méér vertellen, bang dat ik opnieuw zou beginnen rillen en zou doodgaan, alleen.

><

Sint-Kornelis-Horebeke is zo klein dat ik er bij mijn eerste bezoek gewoon aan voorbijreed en een kilometer verder in Maria-Horebeke opnieuw de weg moest vragen.

Márti vertraagt. Rechts op een hoogte ligt de molen, een witte stomp in een ongerept landschap van glooiende akkers. Daar hadden we de kinderen en hun natuurwandeling gefilmd, een aanschouwelijk lesje over het hoogste punt van de omgeving, met de maïsvelden rondom – met de uitleg over de geschiedenis van de oude molen en de vergeten betekenis van het woord 'kouter'. Juffrouw Jeanine, directrice van veertien kinderen, had alles heel precies voorbereid en haar verhaal keurig voor de camera uitgelegd, alsof het een bijdrage voor *Vlaanderen Vakantieland* betrof.

Vlak achter de eerste huizen, aan het kruispunt, draaien we naar links de hoofdstraat in, met de kerk, de school en de slager. De schoolpoort is dicht, de lessen zijn begonnen: veertien kinderen samen in één klasje voor vijf leerjaren want voor het derde leerjaar is er dit schooljaar toevallig geen dorpskind beschikbaar. Volgend schooljaar zal er wellicht ook geen vierde leerjaar zijn, tenzij Tim, Kevin of Isabel zouden blijven zitten, maar zo dom zijn ze in Horebeke ook niet. Het schooltje is een prachtig anachronisme, 'een bijna middeleeuws gegeven' in de boekhouding van de Guimardstraat: een nachtmerrie voor de besparende minister van Onderwijs met zijn 'enveloppes' en dito monsterscholen. Hier komen de kinderen nog op de eerste plaats. Ze zijn hier thuis en hun resultaten zijn meer dan behoorlijk, ook later in de grote school. Noodgedwongen hebben ze geleerd alleen te werken, altijd zelfstandig te zijn en de anderen te respecteren.

Het schoolgebouw is een groot huis met een geschiedenis. De klassen waren vroeger de stallingen van een oude kasteelboerderij en hun eetzaaltje was het dorpscafé *In den Hemel*. Al hebben de kinderen dan geen turnzaal of computerklas, ze trekken 's ochtends, in kleine groepjes, samen naar de school, helpen elkaar en dragen hun juf op handen.

We staan opnieuw in hun klas, ditmaal zonder camera, maar met cadeautjes van het 'Huis van Vertrouwen'. Márti is even Sinterklaas en de kinderen zijn blij. Ik vertel hen hoe fijn het was om hen te mogen filmen, hoe goed ze het allemaal deden en hoeveel mensen dat ook 'op televisie' gezien hebben. Het is speeltijd. Terwijl de grote familie naar buiten stormt, toont Juffrouw Lutgarde ons fier een paar krantenknipsels uit de streekkrant. Ze zegt dat ze trots is op haar kinderen en haar schooltje, dat ze tevreden is over haar leven. Ik voel me weer draaierig worden, en terwijl ze verder praat, loop ik tussen de stoeiende bende naar de grote houten tuintafel in een hoek van de speelplaats. Ik ga zitten en probeer te luisteren naar haar ontwapenend enthousiasme. Maar hoe ik me ook inspan, haar woorden verdwijnen meer en meer in het zotte gejoel. Even later staat ze recht, het is tijd voor de bel – ik denk dat ze niets gemerkt heeft. Ik sluit mijn ogen en zie hoe een blauwe bal van sponsrubber, hoog stuitend op me afkomt. Ik neem mijn aanloop en trap hem, zonder te kijken, over de omheinig van de speelplaats, tot achter de rododendrons in de kloostertuin van 'de Broederkes'.

><

Ik ben bijna twee jaar jonger dan mijn broer Jan en toch zijn we samen aan het eerste studiejaar begonnen bij de Broeders van Liefde, in de Tuinwijk. We kwamen toen nog maar net terug uit Zwitserland waar pa, die aan tbc leed, aan zijn longen was geopereerd.

'Ze hebben toen zijn thorax helemaal opengelegd,' hoorde ik Nonk Pierre later zeggen en dat klonk heel gevaarlijk.

Moeke, Jan en ik waren pa met de trein achternagereisd tot in Leysin, waar we twee jaar bleven wonen op de bovenverdieping van een oud chalet. Ik herinner mij alleen nog de winter en de sneeuw in de straten, het waren bergen van sneeuw. De eigenaars van het chalet, moeder en dochter Byrd, hadden zelfs een tunnel moeten graven om uit hun huis te geraken. (Later, in het zesde studiejaar, las ik een boek over Richard E. Byrd, de beroemde poolreiziger, en ik was er absoluut van overtuigd dat hij ook van de familie was.) Ons chalet lag tegenover het sanatorium waar pa verzorgd werd. Vanop het houten balkon konden we hem nog net zien liggen: een bleke, slanke man op een ziekbed met twee grote fietswielen. Toen hij beter was – hij droeg een zwarte zonnebril – leunde hij moeizaam over de stenen balustrade en wierp briefjes naar beneden, voor moeke, omdat ook zij hem toen nog niet mocht bezoeken.

De specialisten in België hadden mijn vader maar weinig hoop gegeven.

'Een vogel voor de kat,' had de dokter van 'het Spoor' gezegd, maar pa herstelde langzaam en genas, zij het met één long.

Terug in België begon pa opnieuw bij het Spoor te werken, alsof er geen vuiltje aan de lucht was. Hij kwam toen geregeld met een kleine stoomlocomotief op het zijspoor naast de steenkapperij. Dan trok hij aan de stoomfluit – voor ons het afgesproken signaal – dat hij 'het vuur' proper had gemaakt en de grote asbak onder de stookoven had leeggestort. We sprongen op de fiets en met twee jutezakken onder de arm haastten we ons naar het doodlopend spoor. Achter het seinhuisje, tussen de rails lag een rokende berg sintels, metaalslakken en halfverbrande kolen – nog bruikbare cokes – op ons te wachten. We begonnen meteen met het uitrapen. Omdat we geen pottekijkers wilden en de klus snel moesten klaren – de cokes mochten wel niet door de jutezakken branden – maakten we een tunneltje, naar de hete buit in het hart van de vulkaan: een gloeiende trechter die we voorzichtig open keuterden, zodat de kolen vlugger konden afkoelen. 's Winters, wanneer het gesneeuwd had, legden we onze verkleumde handen eerst nog even op het warme heuveltje. In de zomer echter, was de gloeiende stapel nog zo schroeiend heet dat we de uitslaande vlammen eerst uitpisten, om daarna de kostbare brandstof voorzichtig uit het vuur te plukken. (Nu nog ruik ik de zoete stank van het gas in de cokes en de scherpe geur van kissende urine die dampend opsteeg uit de hete kolen.) Opgewonden en tevreden – met twee volle, warme zakken, balancerend op het kader van de fiets van moeke – kwamen we thuis. Het was onze heldhaftige bijdrage in haar bescheiden huishoudbudget. Moeke kon weer een halve week 'voor niks' stoken.

'Laat die fossielen morgen maar eens aan de meester zien,' zei pa, 'ze komen uit de koolmijn van Winterslag.'

Ik streelde voorzichtig met mijn vingers over de nerven van een ingesneden varenblad dat in een leisteen gedrukt op de keukentafel lag.

'En hier, een soort hagedis.' Hij wees in een grijze schalie naar het ragfijn skelet van een platgewalst reptiel – hulpeloze streepjes in steen, zoals de broze vingerkootjes later op de röntgenfoto van mijn gebroken pols.

had ik zonder hen een eerste langspeelplaat
met de groep, leken onze beste jaren pas
der dorp, iedere vereniging organiseerde
avond en ook wij kregen ons deel van de
p de radio gedraaid en ik tekende met Decca
een tweede langspeelplaat.

het Groenewoud had net zijn eigen rockgroep
t, waarmee hij – op zijn zachtst gezegd – een
oren tussen iedereen die toen in Vlaanderen op
d. Omdat hij soms als arrangeur voor mijn pla-
e, had ik hem intussen wat beter leren kennen; hij
s beluisterd en wou er ook de arrangementen voor
hadden een totaal andere achtergrond. De muziek
ten, vertoonde geen enkele gelijkenis, niet door de
liedjes en nog minder door de stijl waarin ze geschre-
Raymond respecteerde echter mijn muziek, ook al
me telkens op de piano voor wat hij nog méér in mijn
hoorde. Ik was onder de indruk van zijn enorm muzi-
el en zijn grote integriteit. Ik begreep niet dat hij – zelfs
et maar voor enkele weken – zo overtuigend met mij wou
, terwijl hijzelf zoveel talent had en nog altijd moest vech-
or de plaats die hem rechtmatig toekwam. Waarom hij er
de bru i niet aan gegeven heeft, weet ik niet – voor het
arse geld dat hij ermee kon verdienen, hoefde hij zich zeker
zo te engageren. Die ontmoeting was bijzonder kostbaar; ze
bepalend worden voor mijn appreciatie van muziek en ze be-
ende ook het begin van een lange vriendschap.

Enkele jaren later, toen ik al producer was, zong hij voor een
adio-opname één van mijn laatste liedjes: 'Saartje'. Ik was ontroerd, want ik wist niet dat het ook zo kon gezongen worden – ik
hoorde wat ik zelf niet kon.

✦

's Anderendaags zag ik aan de ogen van meester Bollen dat
pa een belangrijke vondst had gedaan.

'Dit zijn de foto's van de vroegste voorhistorie,' zei de goedmoedige onderwijzer. 'Ze zijn zeker miljoenen jaren oud en erg
zeldzaam.' En alsof hij zelf de trotse vinder was, borg hij het stapeltje eeuwigheid behoedzaam weg in een vitrinekast, achteraan
in de klas.

Glunderend keek ik naar Jan. Hij fronste echter zijn wenkbrauwen, want de oeroude stenen van pa kregen we nooit meer
terug.

✦

Het is al laat in de namiddag. We lopen met zijn vieren over een betonnen wandelpad: Raymond en Nana, An en ik. De zee is mooi: grijs en groen dat telkens verandert maar altijd hetzelfde blijft. De zee. We praten weinig en zo is het goed.

Een jaar voordien had ik een portret van Raymond van het Groenewoud gedraaid dat begon en eindigde met de zee, met daartussen het verhaal van zijn leven, zijn muziek.

Toen was ik totaal overstuur, ik was op zoek naar een nieuw begin, alsof dat zomaar kon. Ik wou breken met An, met een verleden dat me zo moe had gemaakt, met mezelf en met een dood gewicht in mijn lijf dat ik niet meer dragen wou. Het was me allemaal te veel geworden, ik kon voor niemand meer kiezen en ik koos voor mezelf. Het was heel weinig, maar het was alles wat ik nog had.

> 'Hier los van het land,
> los van gewicht
> laat ik me leiden.'

Een paar weken later, alleen op een gemeubelde kamer in Laken, zocht ik een houvast in wat Raymond had geschreven in 'Lied van de zee.'

> 'Hier, slaaf aan de rand
> zonder verstand, niets te verwachten.'

Zijn woorden klopten met wat ik voelde, maar het was zijn muziek die me troost gaf: de klank van een gitaar en een gebroken stem, in een trage, bevrijdende driekwartsmaat.

Nu, door filterende, donkere brillenglazen, kijk ik in de flauwe zon, laag boven het water, en hoor opnieuw datzelfde ritme. De broze golfslag die eindeloos geeft en telkens weer terugneemt.

Achter ons ri
voor twee
zij v

duin
begon
vreemd
geleden –
ven, ook i
strijkbas, ee
staat het op m
    Het is het t
ten.
    Terwijl we ove
ben An en Nana het
tie zullen gaan. Ik hoor
komt nu terug – vergeten
eeuw geleden aan de ande
werden meegenomen en hie

> 'Laat mij onder water gaa
> in tinten verdrinken,
> met zandkorrels zinken, verg

's Avonds, op het kille dakterras, kijke
daken van Brugge en Raymond haalt o
warme koffie. Het is een dag die zij voo
met gebakjes, de stad, schapenvlees, de zee

✄

Na de wilde jaren van 'Flower Power' en 'All you
had ik in het begin van de jaren '70, genoeg optree
mijn eigen liedjes te kunnen leven. Met Huib, Mie
broer Jos trokken we verscheidene keren per week door
ren en Nederland. We waren muzikanten en we hadde

Ik heb op twee jaar tijd amper vier documentaires kunnen draaien voor *Document* op TV2, en ik kan niet meer mee. Ik heb vandaag dan ook de knoop doorgehakt. Als dit dan misschien mijn laatste programma wordt, dan zal het over CVS gaan en niemand hoeft te weten dat het ook over mezelf gaat. Weer die reflex. Waarom durf ik niet, zonder een onbestemd gevoel van schaamte, toegeven dat ik al jaren aan CVS lijd; dat ik al zolang een chronische aandoening heb die me stilaan kapotmaakt? Ben ik te trots, of is het de ultieme blaam te moeten toegeven dat er een definitief en altijd terugkerend mankement is? Is het maatschappelijk onaanvaardbaar toe te geven dat je moet afhaken omdat je nu eenmaal te moe bent, wat je ook doet of – in ons geval – niét meer doet?

Wie niet genoeg presteert, moet al een bijzonder goede reden hebben om de 'rol te mogen lossen' en dan nog word je met de vinger gewezen. Omdat het in de afgelopen tien jaar echter moeilijker werd om die ellendige moeheid te verbergen, vertelde ik – en alleen maar als iemand vroeg wat er met me scheelde – over de bijverschijnselen. Toen ik een paar jaar geleden een eerste hartaanval kreeg omdat ik totaal uitgeput niet meer kon meedraaien op het werk, voelde ik me bijna opgelucht. Eindelijk had ik een 'normale' aandoening, een aanvaardbaar argument om collega's en vrienden te zeggen dat ik even uitgeteld was.

'Ja, er scheelt iets met mijn hart.'

Tot vandaag kennen amper een paar mensen de ware toedracht van de zaak: An, de kinderen en een paar dokters.

Bea bekijkt het programmavoorstel en de budgettering. Ik vertel haar terloops dat er in België meer dan 10.000 mensen aan chronische vermoeidheid lijden, en ik aarzel even of ik haar zou durven zeggen dat ik er ook bij hoor. Ik zwijg, weer. De voorbije maanden heb ik haar herhaaldelijk ingelicht over mijn tanende gezondheid, over mijn 'thuiswerk', over programmavoorstellen die ik voor me uit moet schuiven omdat ik om de haverklap naar het Academisch Ziekenhuis moet om 'opgelapt' te worden. Ze weet alleen dat het 'niet zo goed' met me gaat en dat dit programma misschien wel mijn laatste bijdrage wordt voor *Document*. Ik zeg haar: 'Het klinkt misschien dramatisch, maar ik zou het programma *Te moe om te sterven* willen noemen.'

Die titel heb ik van een zwaar zieke CVS- patiënt, die bang is dat hij de kracht niet meer heeft om zijn laatste adem uit te blazen, ook al zou hij dat nu graag willen: zwarte humor, die hem hoe dan ook nog wat langer overeind houdt.

Ik ben weer een dag verder en alles verloopt traag en moeizaam – ik heb dubbel zoveel tijd nodig als vroeger om een afspraak rond te krijgen.

Op zijn kantoor in het Academisch Ziekenhuis, vraag ik aan professor De Meirleir of hij, zoals eerder afgesproken, nog altijd aan het programma wil meewerken. Hij staat al jaren in de bres voor de erkenning van de ziekte en zijn research is zonder meer baanbrekend, maar dat wordt hem blijkbaar niet door iedereen gegund.

'En hoe zit met jezelf? Zal je het nog wel aankunnen?'

'Als we toch samen op stap zijn kan me niks overkomen, want dan zal je me wel moéten behandelen.'

Hij lacht even, ik ken zijn antwoord al.

'Het virus zit al te lang in je lichaam. Een behandeling met Ampligen is voor jou zeker niet aangewezen. Je zou er achteraf waarschijnlijk nog slechter aan toe zijn dan nu, en je weet dat ik absolute prioriteit moet geven aan patiënten die helemaal niet meer verder kunnen. Je hebt ze zelf gezien én hun rolwagens.'

Ik ken dit antwoord nu al drie jaar, maar ik heb telkens opnieuw moeite om zijn diagnose te aanvaarden.

'Ik heb het je al eerder verteld,' zegt hij, 'er is hoop op andere, nieuwe medicatie, die ook voor jou resultaat zou kunnen bieden.'

Wanneer?

><

Tegenover het huis van mijn ouders lag de Vakschool, of de Ambachtschool zoals ze soms ook genoemd werd. Hoewel het om dezelfde school ging, hielden beide woorden toch een duidelijk niveauverschil in. Pa en zijn broers waren allemaal naar de Vakschool gegaan en onze buurman, mijnheer Ceelen gaf les in de Ambachtschool. (De school bestaat nu nog altijd en heet nu Technisch Instituut, dat zegt genoeg. Of zoals Tant Odile het zei, toen een van mijn nichtjes bij haar geboorte een voor haar vreemde voornaam kreeg: alles moet een naam hebben, maar of het ook iets wordt, is een andere zaak.)

De Vakschool had een bijzondere geur, voor mij zeker niet onaangenaam. Het was een ondefinieerbare mengeling van oud zweet, aangekoekt vuil, olie, verschroeid ijzervijlsel, houtspaanders en sinaasappelschillen. Overal in de holklinkende gangen en in de monumentale traphal, hingen hier en daar, achtergelaten stofjassen en werkplunjes van meer dan duizend leerlingen, en ze hadden allemaal diezelfde geur. Als we na schooltijd verstoppertje speelden in het lege, duistere gebouw, maakte ik me – net zoals de geest van Aladin – onzichtbaar voor de anderen. Ik was er trouwens vast van overtuigd dat het er 's avonds spookte, vooral in de winter. Toch durfde ik me overal verstoppen, ondanks de echte geesten die ik er meende te ontwaren, vooral in het borstelkot en in de akelige, vochtige kelders. Maar als we er gingen spelen, wou ik Jan en Jean-Pierre overbluffen omdat ik de jongste en ook de kleinste was. Alleen Anton had nog meer lef. Van alle jongens in de wijk durfde hij alleen over de daken van de werkhuizen lopen en zijn broek uittrekken waar iedereen bij stond.

In het midden van de speelplaats lag een basketbalveld waar we iedere dag kwamen oefenen om zo vlug mogelijk in de ploeg van de Vrije Technische School te kunnen spelen. We kwamen van school, aten een half brood op, trokken vliegensvlug onze baskets aan en liepen dan de benen van onder ons lijf, de straat over, om als eerste op het veld te staan. Uiteindelijk kwamen we alle vier bij de VTS. Amper vijf jaar oud, als jongste miniem, verdedigde ik de kleuren van onze club in de provinciale competitie. Na mijn plechtige communie, toen ik naar de kadetten overging, kreeg ik mijn eerste 'training': blauw-rood, in heerlijk warm flanel. Ondanks een gezwollen enkel of een verstuikte vinger wou ik het 'basketten' voor geen geld van de wereld missen. Toen ik naar het internaat moest, koos ik voor de school waar er basketbal gespeeld kon worden en ook op de universiteit draaide ik nog een tijdje goed mee, hoewel ik toen al begon te merken dat er sleet kwam op mijn legendarische snelheid. In een tornooi tegen Pamplona werd ik zelfs uit de ploeg gehaald. Was de lange afdaling tóen misschien al begonnen?

Als we echter durfden voetballen, gebeurden er steevast ongelukken, vooral nadat we van Sinterklaas echte voetbalschoenen hadden gekregen met scherpe noppen onder de zolen. Er waren grote jongens uit de andere wijk, die ook voetbalschoenen hadden en die met één zwaai je schenen openlegden, of met de voet vooruit je enkels blokkeerden. Ik was blij dat moeke na een paar matchen voor ons ook beenbeschermers kocht. Maar daarmee waren de ongelukken nog niet uit de lucht. Voetballen lag me niet, en iedere wedstrijd zorgde voor ellende. Ik betaal overigens nu nog altijd de prijs.

Omdat Albert, het tere zoontje van dokter Willems, lidkaarten had getypt op de schrijfmachine van zijn vader, was de officiële oprichting van onze wijkvoetbalploeg een feit. Albert kon helemaal niet voetballen, maar hij was wel de eerste die zich in volledige 'Excelsior'-uitrusting op de school durfde vertonen. Die donderdagnamiddag was onze eerste match – tegen die van Kuringen – op het oefenterrein van 'den Excelsior'. Jan had de fiets van pa genomen en ik zat vooraan op de stang. Aan het huis van de kolenboer, op de steenweg, schoof ik opeens met mijn voetbalschoenen tussen de spaken van het voorwiel. Jan vloekte, mijn voet draaide nog een halve slag mee tot tegen het spatbord en het vehikel sloeg in één klap scheef. Ik vloog in vrije val over het

stuur en belandde, met mijn hoofd eerst, op het betonnen fiets-
pad.

'Hij heeft een zware hersenschudding, Madame,' zei dokter
Elens tegen moeke.

'Dat hier,' – hij wreef daarbij nadrukkelijk over de schaaf-
wonden op mijn voorhoofd – 'zijn maar een paar blutsen, dat zal
wel allemaal goed komen. Maar wat er precies met zijn nek en
zijn rug is gebeurd, dat zullen we later nog wel zien.'

><<

| *3 april 1997* |

De pijn is de laatste dagen weer erger geworden. Leo, onze huis-dokter, had me vorige maand al aangeraden om toch nog maar eens mijn rug en mijn nek te laten scannen. Zonder veel overtuiging had ik een afspraak gemaakt.

'Je weet maar nooit of het misschien toch geen hernia is, en na een operatie zou die pijn dan tenminste toch al weg zijn,' had hij gezegd.

Leo was de eerste dokter die me over CVS had gesproken en me doorverwees naar het ziekenhuis van de Vrije Universiteit Brussel. Toen daar eenmaal het verdict was gevallen, heeft hij alles geprobeerd om me te helpen. Ik bewonder zijn eindeloos geduld – hij zou deze keer maar weer eens gelijk moeten hebben! Ik vrees echter dat het de zoveelste, scherpe opstoot is van CVS; dat die misselijkmakende tante weer gretig – en op de zwakste plekken eerst – toeslaat en daardoor de oude letsels alleen maar erger maakt. Toch heb ik me vandaag weer eens in het Academisch Ziekenhuis laten onderzoeken. In de hoop dat er ditmaal een goede, dus 'slechte' uitslag in verband met een kwetsuur, mag verwacht worden. Alle dokterskabinetten zijn hier eender, behalve dan de wandversiering. Vandaag kijk ik naar een exotisch schilderij dat hoog tegen de prefabmuur is opgehangen. Het stelt een tamelijk naïef Afrikaans dorpsritueel voor met ogenschijnlijk tevreden inboorlingen. Het lijkt wel alsof de koloniale verhoudingen omgekeerd zijn, hoe ze naar dit ongelukkige 'blankje' staan te kijken.

Ik zoek de ogen van de reumatoloog en hoop dat hij een hernia heeft gevonden, zo groot als een ei. Terwijl hij minutenlang de röntgenfoto's bekijkt, heb ik opeens een black-out. Wat kom ik hier doen, wat moet ik van die man te weten komen? Ben ik hier nog geweest? Gelukkig is de man – zonder het zelf te beseffen – behulpzaam. Hij vraagt: 'Kunt u de aard van uw gewrichtspijnen ook eens beschrijven?'

Er ratelt iets in mijn hersenen, maar zonder ook maar één

keer over mijn woorden te struikelen, antwoord ik hem in een vlekkeloos waanzinnige volzin: 'Dokter, ik heb voortdurend scharnierkrampen door krom te lopen van gebetonneerde rechtstijvigheid.'

Ik zie dat hij wil lachen, maar niet durft. Hij kucht, bekijkt me even en zegt dan zeer nadrukkelijk: 'Er is wellicht een kleine, subligamentaire discushernia tussen de L4 en L5 wervels, maar het blijft toch vooral een verdergaande artrose, dat is zonder meer een feit.'

Ik haal mijn medisch rapport van de vorige scanning boven, ik weet dat ik hem nog dringend iets moet vragen. Ik had me zo goed voorbereid en alles is weg. Een nieuw zwart gat. Waar staat dat nu ook weer in mijn dossier?

'O ja, zou het kunnen dokter, dat mijn zware vermoeidheid veroorzaakt wordt door wat in het vorig rapport al beschreven staat als' – ik lees wat er op het papier staat en beklemtoon nu zelf mijn woorden – 'duidelijk degeneratief discuslijden met sclerose van de gewrichtsranden?'

Hij fronst even zijn wenkbrauwen en zucht, met zichtbare empathie: 'Er is inderdaad een letsel, maar ik zou, wat die vermoeidheid betreft, toch maar bij de algemene diagnose van chronische vermoeidheid blijven, die kunnen we nu na zoveel jaar niet meer betwisten. Het spijt me dat ik het moet zeggen, mijnheer, maar uw rug- en nekletsel zal u er ook nog moeten bijnemen.'

><

'Manneke, jij bent vanaf nu een patiënt,' zei dokter Elens, 'en je zal je moeten koest houden met die hersenschudding.'

Moeke probeerde me 'koest' te houden en hield, ook op aanraden van onze oude huisdokter, de gordijnen dicht. Ik moest drie weken thuisblijven, plat achterover op de harde sofa in de woonkamer. Het leek me eerst nog een aantrekkelijke bezigheid: geen school en de goede zorgen van moeke, maar er was weinig wat ik kon doen. Ik bladerde wat lusteloos in de prentenboeken van *'s Lands Glorie* of probeerde *De Lotgevallen van Nero* te begrijpen, maar de tekstballonnetjes bleven voortdurend ongrijpbaar voor mijn ogen dansen. De dagen gingen traag voorbij en ik had van 's morgens tot 's avonds hoofdpijn. Het leek wel of er onder de bloedkorstjes tussen mijn haar kleine scheurtjes waren, waarin ik met een spiegel mijn 'geschudde' hersenen zou kunnen zien.

Tant Odile – Jan moest haar nu alleen over de drukke steenweg loodsen – had voor de verjaardag van moeke een schilderij gekocht, in olieverf en op écht doek. Ik staarde naar het pittoresk buitenzicht: een vervallen huis met een strooien dak naast een grijze waterpartij. Moeke liet het woord 'bedlegerig' vallen en Tant Odile had het nu over andere 'bedlegerige' familieleden, waarvan ik nog nooit had gehoord – behalve dan enkele overjaarse groottantes uit Herten en Loon, die volgens Tant 'in hun ziekbed geboren waren, en er, na hun hele leven in gewoond te hebben, weldra ook in zouden sterven.'

Bedlegerig, ik had er voordien nog nooit van gehoord en ik vond het maar een griezelig woord. Het was blijkbaar méér dan ziek zijn. Ik had uit hun gefluister begrepen – ik deed vaak alsof ik sliep – dat het eigenlijk 'leeg in bed' betekende, niks meer kunnen doen omdat alles te veel was geworden. Ik was nu ook bedlegerig, dacht ik, en ik werd bang dat ik voortaan ook niks meer zou kunnen doen. Ik begon het ergste te vrezen. Elens had me immers nu al een 'patiënt' genoemd, wat dat ook mocht betekenen. Ik moest de duizeligheid en de pijn in mijn hoofd op staande voet laten verdwijnen en ik probeerde met alle kracht uit mijn eigen ziekbed recht te komen. Moeke wou me nog tegenhouden, maar dat was niet echt nodig: de duizeligheid sloeg genadeloos toe. Ik viel machteloos achterover, als een uitgedraaide tol die bewegingloos bleef liggen, hulpeloos wachtend tot iemand me uit verveling een trap zou geven. Het was het ergste wat me tot dan toe was overkomen. Ik kon niet eens meer de gewoonste dingen doen, hoezeer ik dat ook wou. Zou ik nog ooit kunnen basketballen? Moeke legde haar hand op mijn voorhoofd en Tant vroeg of ik misschien al aan de beterhand was. Moeke schudde haar hoofd en Tant zei dat ik nog wat geduld moest 'oefenen'. Ik vond haar aanmoediging ergerlijk, maar ik hield me gedeisd. Ik kon nu niet anders. Ik nam me voor om het straks – wanneer ze weg waren – opnieuw te proberen. Mijn ogen vielen dicht en ik hoorde Tant nog even fezelen, ze zei dat gezondheid een geschenk is, ons grootste goed.

Toen ik wakker werd, was moeke in de keuken bezig. Tant was al met Jan naar huis, naar professor Braunske. Ik lag ongemakkelijk in de harde namaak leren sofa: alleen, in de halfverduisterde woonkamer. Ik voelde me nog altijd niet 'aan de beterhand' en probeerde ook wat geduld te 'oefenen', maar ik kon niet beletten dat ik alle vreemde kwalen en ongemakken die Tant Odile zo gedetailleerd had beschreven, opeens zelf voelde. Ik moest mijn lot lijdzaam ondergaan. Ik begon te piekeren en er kwamen, nieuwe, diepere barsten in mijn hoofd. Waarom kreeg ik geen drankje of geen pilletjes uit het bruine flesje? Hoe kon ik ooit genezen als er niks met me gebeurde? Het nijdig getik van de pendule in de voorkamer begon me stilaan te tergen; ik werd opstandig en begon kwaadmoedig het nieuwe schilderij te bestuderen. De olieverf lag te hard en te ruw op het doek, vond ik. En de beuk bij de vijver had onder zijn kruin een tak te weinig. Moeizaam kroop ik recht, de huiskamer draaide in duizend cirkels. Ik wankelde van de sofa naar de lage kast aan de overkant en trok de bovenste lade open. Naast de briefomslagen en het gelijnd briefpapier stond de nieuwe Parker-inktpot: zwartblauw en boordevol. Ik beefde, schroefde het dopje open en stak heel langzaam mijn wijsvinger in de inkt. Dan, met knikkende knieën en een omhooggestoken natte vinger, terug naar de ligzetel. Ik kroop op de sofa, plantte mijn voeten in de wiebelende kussens en steunde met mijn handen tegen de muur. Ik zocht het rondtollend schilderij: het tafereel stond stil, maar nu begonnen de takken van de boom heen en weer te ritselen. De beuk trilde voor mijn ogen, ik wachtte tot er een korte windstilte kwam, en met één lukrake veeg gaf ik de majestueuze boom een nieuwe, blauwe tak. De boom was van mij. Ik was aan de beterhand.

><

| *4 april 1997* |

Vandaag heb ik de eerste afspraken gemaakt met Annelies en Paul, twee patiënten van dokter De Meirleir. Hij heeft hen gevraagd of ze aan het programma willen meewerken en of ze het verhaal van hun ziekte ook voor de camera zouden kunnen vertellen.

Maandag ontmoet ik Annelies voor het eerst. Ze zei me aan de telefoon dat ze alles wil doen wat ze kan om het vooroordeel over CVS uit de wereld te helpen. Ik ben blij dat ze, ondanks haar zware pijn en de lamlendige vermoeidheid, zo jong en zelfbewust klonk. Het kan het programma alleen maar beter maken, want CVS werd in Amerika al veel te lang bestempeld als *Yuppie Flu*, een griepachtige inzinking waaraan hoofdzakelijk overwerkte dertigers zouden lijden. Maar Annelies is nog geen twintig.

Het is erg rustig op kantoor en ik probeer verder uit te schrijven wat ze me verteld heeft. Het valt me zwaar. Ik heb moeite om me te concentreren en lees wat ik genoteerd heb:

'In 1992: Annelies is vijftien, zware vermoeidheid, keelpijn, koorts op een kamp in Zwitserland. Sedertdien lange lijdensweg, Gent Universitair Ziekenhuis, arm in het gips wegens hevige spierpijnen. In 1993 ondraaglijke rugpijn, onbegrip, onderzoek door neuropsychiater die haar uitlachte. Jaren dokteren. Eindelijk gehoor gekregen bij dokter Lambrecht, tussendoor ook nog zestien weken homeopathie. In 1996 voor het eerst contact met professor De Meirleir, opname in Academisch Ziekenhuis in Jette wegens verlamming in linkerhelft lichaam, doodziek, er wordt gevreesd voor haar leven. Behandeling met Ampligen en gedeeltelijk beterschap.'

Losse woorden en halve zinnen. Het is de enige juiste samenvatting van wat de ziekte eigenlijk is: een slagveld van wanorde en verwarring. Annelies heeft zeker nog meer verteld, maar ik ben het kwijt, mijn hoofd kan niet meer denken, niet meer herinneren. Het is middag, Bea vraagt of ik een broodje wil, maar ik ben te moe om iets te eten. Wanneer ze weggaat leg ik mijn kop op mijn bureau: het is nog net draaglijk, het is nog maar de bevende vermoeidheid. Maar stilaan groeien er aan mijn lijf kleverige verlengstukken van lubberend, trillend rubber. De bijna altijd aanwezige, grijze golf die zeeziek maakt, klotst nu langzamer en zwaar. Ik ben kotsmisselijk en voel de kruiperige onzekerheid die me aan alles doet twijfelen. Als ik nu geen lucht krijg, draai ik van mijn stoel. Ademen moet ik. Langzamer ademen en dieper, veel dieper.

Er komt lucht, het gaat weer beter, even beter...

Ik ken ze zo goed: alle soorten en varianten van-het-uitgeteld-zijn.

Er is de opstandige-maag-moeheid die begint als een vrij onschuldig 'opwarmertje', maar 's avonds begint pijn te doen en het leven verschrikkelijk 'zuur' kan maken. Zelfs een beschuit wordt dan een onverteerbare steen, met als gevolg de ene oprisping na de andere. Urenlang raast er een scherpe windhoos door je ingewanden, afkomstig van een verzengend hogedrukgebied dat loodzwaar op je darmen weegt.

Het duizelige trilhoofd waar ik nu weer last van heb, is minder opvallend maar wel vervelender. Alles wat je doet, slaat een seconde later over in een innerlijk beven, een aanhoudende replay die je totaal ontreddert en de kleinste beslissing onoverkomelijk maakt. Een beetje denkwerk vraagt een kolossale inspanning en het resultaat komt, tot overmaat van ramp, altijd te laat. Andere mensen zijn dan altijd sneller en ook zoveel beter.

Dan zijn er de erge soorten: van de barstende kop- en spierpijnen tot de vernietigende, loodzware verlamming die je onverbiddelijk platsmijt. Die laatste fase is eigenlijk onbeschrijflijk, want je verdraagt werkelijk niets meer. Een streling over je voorhoofd wordt een klap in je gezicht en de tanden van je vals gebit zijn moe. Alles doet pijn, alles is te veel: je zou uit jezelf willen treden, jezelf willen afstoten. Je rug, je ledematen, elk gewricht wordt gekraakt onder het gewicht van je eigen lichaam dat al urenlang niet meer kan bewegen.

Maar zover zijn we (nog) lang niet. Nee, nu is het nog allemaal 'te doen'. Ik heb nog lucht, ik voel nog kracht.

Terwijl ik nog even mijn ogen sluit, herinner ik me plots dat er vanavond ook nog iets moet gebeuren, maar wat eigenlijk? Ik mag zo hard denken als ik wil, het is er niet meer, weg. Ik kijk in mijn agenda, wat zou ik zijn zonder dit boekje? Er staat: 4 april: Alida bij ons thuis. Vanavond, na de opnamen van het kinderprogramma *De boomhut*, komt Alida Neslo. Ze heeft het heel erg druk in Amsterdam, Tibet en Paramaribo, maar ze kan Vlaanderen zo moeilijk missen. Ze heeft hier nog altijd veel vrienden en als ze voor *Het einde van de wereld* of voor een ander programma sprookjes of verhaaltjes mag vertellen, komt ze nog altijd heel graag over.

Ik bekijk de draaidagen en het budget nog eens. De productmanagers van de nieuwe VRT hebben stricte instructies gekregen, ook Bea. Zonder de bijdrage van de Vrije Universiteit van Brussel zou het voor *Document* een duur programma worden. Ik hoop dat het ook goed wordt en vooral, dat ik het haal. Zorgen voor later.

Het is al bijna donker wanneer ik met Alida door Brussel rij – langzaam en behoedzaam, naar huis. Ze is geestdriftig en praat onophoudelijk over haar gevecht als directrice van *De Nieuw Amsterdam*: een open en internationaal theatergezelschap waar alles zou moeten kunnen, over haar hunkering naar de eenvoud van Paramaribo, over het boeddhisme en het wankel evenwicht tussen werken en jezelf blijven, over onze intense jaren op de radio in *Het Genootschap*, nu tien jaar geleden. We duiken de tunnels in en ze vraagt of Sam nog altijd muziek speelt en bij ons woont, en hoe An het maakt. We zien elkaar niet zo vaak, maar ze is al die tijd contact blijven houden – meestal totaal onverwacht – met een mysterieuze ansichtkaart uit de Himalaya of een volkomen gek briefje uit het hart van Afrika. En telkens is het alsof ze de vorige dag de laatste nieuwsjes heeft gehoord, alsof ze een aparte internetverbinding met ons heeft en voelt wat er in ons leven gebeurt. Toen An vijf jaar geleden voor een zware kankeroperatie stond en haar leven in één klap op de helling stond, belde ze de avond voor de ingreep, vanuit Amsterdam: 'Ik heb me een tijdje teruggetrokken,' zei ze, 'en ik heb voor jullie wierook en kaarsen gebrand. O ja,' – het klonk heel terloops – 'ik heb ook nog een paar gekke, oude tantes in Suriname gevraagd om ook hun best te doen voor An. Je weet wel, Luk, witte magie. En je zal zien dat het werkt, maak je geen zorgen. Vertel An morgenochtend maar dat er een wereldfront van oude vrouwen over haar waakt.'

Ze zitten nu samen in de keuken, ze lachen allebei. Ze hebben elk een andere weg afgelegd, en toch even lang, even onvoorspelbaar. Alida van Suriname naar Vlaanderen en van Afrika naar Tibet, An hier bij mij, met de mensen rondom haar voor wie ze iets kon betekenen, voor de buren, voor onze kinderen, voor mij.

➤<

De overvolle boot verlaat de haven van Dakar. Zwarte kinderen springen in het blauwe water en duiken muntstukjes op die lachende toeristen over boord gooien. Ik heb er moeite mee. Dick, de regisseur heeft op de voorsteven van het schip een plekje gevonden voor een kort interview. We maken samen *De Andere Kant*, een nieuwe reeks programma's waarin bekende mensen hun 'andere ik' tonen ergens aan de andere kant van de wereld. Alida koos voor Dakar omdat ze hier, na haar opleiding in Studio Herman Teirlinck, een paar jaar les had gevolgd in de *Mudra Afrique*, een dansschool die Maurice Béjart voor het Afrikaanse vasteland had opgericht. Haar verblijf in Senegal en de werkmethode van Béjart – dansen en bewegen volgens de regels van een ander continent – hadden een enorm sterke indruk op haar gemaakt. De school is er niet meer maar het gebouw staat er nog altijd, aan de rand van de zee. Alida wou weten wat er mee gebeurd was en of ze de enkele achtergebleven vrienden van vroeger nog zou terugvinden. Ze wou vooral die eerste kennismaking met Afrika opnieuw beleven en nog eens terugkomen naar het land van herkomst, naar de stad waar haar voorouders als slaven werden samengedreven en als levende koopwaar werden verkocht.

'Maar ik ben helemaal niet zwart,' zegt ze voor de camera, 'hier noemden ze me toen "la blanche", omdat er ook nog zoveel ander bloed door mijn aderen vloeit.'

We zijn op weg naar l'île de Gorée, vanwaar haar Afrikaanse grootvader en grootmoeder wellicht ooit verscheept werden naar Amerika. De camera zoomt in op een gele strook land en zwenkt traag over het water naar haar ogen. Ik vraag haar of ze ook nu nog dezelfde ontroering voelt als toen – toen schreef ze in haar dagboek dat ze nog nooit zo verdrietig was geweest als na haar bezoek aan het slaveneiland.

'Ik ben overal en nergens thuis. Mijn ouders waren Afrikanen, Chinezen, halfbloeden, joden, Denen, noem maar op... Ik ben een kind van de ganse wereld, een regenboogkind en daar ben ik blij mee. Ik moet van de mensen houden, hoe bizar dat soms ook mag zijn, want dat de Hollanders bij hun aankomst dit eiland ook "goede rede", goede aanlegsteiger genoemd hebben, dat vind ik toch wel heel cynisch.'

Wanneer de boot is afgemeerd, zoeken we de schaduw op van de kleine straatjes rond het fort, de hitte is overweldigend. De overtocht duurde amper een half uur en toch ben ik doodmoe. Dick heeft het gezien en zegt dat we best even uitblazen terwijl hij met de cameraploeg nog wat losse beelden schiet. Ik waardeer zijn kameraadschap – hij heeft me nooit voor het voldongen feit gesteld dat ik niet méér kon presteren. Dit wordt echter ons proefprogramma, het moet goed worden, maar ik denk aan de dagen die nog moeten komen, aan alles wat ik Alida zou willen vragen, alles wat ze ons nog zou willen tonen en ik ben bang voor mezelf, voor een lichaam dat niet meer mee wil.

Een halfuur later lopen we door de sombere catacomben van de slavengevangenis, een duistere kazerne van immens verdriet waar de camera herhaaldelijk moest wijken, omdat vragen stellen geen zin meer had. Alida voelt opnieuw de pijn van haar volk, van talloze mannen, vrouwen en kinderen zonder een naam.

'Weet je waarom ik eigenlijk Neslo heet?'

Ik had er nooit bij stilgestaan.

'Onze blanke meester in Suriname was een Deen, hij heette Olsen. Toen mijn familie later vrije mensen werden, kregen we, als een laatste, koloniaal toemaatje, toch nog zijn naam, maar dan in omgekeerde volgorde geschreven. Alsof het een grap was, alsof ons eigen verleden totaal onbelangrijk was.'

✄

Myriame, de moeder van Annelies laat me binnen – aan de telefoon leek ze me ouder, ofwel was ze heel erg moe. Haar tintelende ogen lachen nog, maar ze kunnen niet verbergen hoe zwaar de afgelopen jaren voor haar zijn geweest. In de woonkamer, bij een groot raam, ligt Annelies in een ziekenhuisbed. Met dichtgeknepen ogen kijkt ze me aan, ze lacht en geeft me een hand. Ik voel hoe krachteloos haar spieren zijn geworden. Ze kan nog nauwelijks uit haar bed, tenzij met krukken, en dan nog heel even maar. Myriame zegt dat Annelies erg vermagerd is, ze weegt nog 45 kilo. Annelies grapt dat haar vriendinnen haar benijden omwille van haar slank figuur, maar de grimas op haar gezicht zegt genoeg: er is niemand die met haar wil ruilen.

'Vandaag is geen al te beste dag, je zal wel snappen wat ik bedoel,' zegt ze. Ze weet van dokter De Meirleir dat ik ook CVS heb en dat ze niet méér uitleg hoeft te geven.

'Je draagt ook een zonnebril,' zegt ze. 'Doen je ogen ook zo vaak pijn?'

Ik voel me niet in staat om haar een beetje op te monteren en zeg haar dat onze ziekte toch wel erg genadeloos is, dat we het sprankeltje licht dat we zozeer nodig hebben, niet eens meer kunnen verdragen.

Annelies zucht, haar vermoeidheid is het laatste uur, minuut na minuut, erger geworden, alleen maar door hier op mij te liggen wachten – voor buitenstaanders totaal onbegrijpelijk. Denken aan een afspraak, aan de vragen die een ander zou kunnen stellen, is soms al te veel. Het verbaast me dan ook niks dat ze haar hoofd in het kussen wegdrukt en zegt: 'Mama weet alles.'

Myriame neemt het gesprek over. Blijkbaar maar al te graag, want wie luistert er naar haar? Ze zegt dat niemand een antwoord kan blijven geven op onmogelijke vragen en dat het iedere dag een gevecht is om zelf niet doodziek te worden van vertwijfeling en onmacht. Ze vertelt over haar vader, een Poolse immigrant, hoe ze opgroeide – dat ze in een familie met acht kinderen toch nog verder kon studeren – hoe ze met Joris trouwde en zelf twee kinderen kreeg. Een leven zoals dat van een ander, tot Annelies ziek werd, nu bijna zes jaar geleden. Niemand wist waarom, en erger nog, of ze wel ooit zou kunnen genezen. Het waren uitputtende jaren. Intussen onderging haar man Joris ook nog tweemaal een zware heupoperatie en kon hij niet meer werken. Joris bleef thuis en zorgde voor Annelies, zo goed en zo kwaad als maar mogelijk was en Myriame hield de geteisterde familie ook financieel overeind. Ze moest wel. Gelukkig echter had ze heel wat vrienden, ook al begrepen die niet altijd wat er nu precies met haar dochter scheelde. Myriame vertelt hoe ze iedere dag twijfelde, hoe ze haar omgeving niet kon uitleggen wat ze eigenlijk zelf niet begreep, hoe bang ze was voor het heimelijke monster dat haar familie bedreigde. Die verschrikkelijke verwarring duurde jaren en ik zie in haar ogen dat ze op het randje van een zware inzinking stond. Toen de ziekte van Annelies eindelijk een naam kreeg, was er hoop. Annelies werd iets beter en Myriame vatte moed. Misschien kon haar dochter genezen – of tenminste toch haar verlamde linkerkant en haar benen, waardoor ze misschien opnieuw zou kunnen lopen?

Joris komt er bij zitten, hij heeft een cake gebakken. We drinken een kop koffie. Hij vertelt zijn versie van het verhaal, zijn eigen lijdensweg waardoor het allemaal nog zoveel moeilijker werd – natuurlijk voor Annelies, maar vooral toch voor Myriame. Annelies probeert zich om te draaien, ze kreunt. Joris schikt haar kussen onder haar schouders. Annelies heeft pijn. Ik heb bewondering voor deze mensen en vertel hen dat we goed voor hun dochter zullen zorgen wanneer we over enkele maanden met haar naar Amerika zullen vliegen: de reis van de hoop. Myriame stelt zich vragen. Nu Annelies weet dat ze naar Californië mag, voelt ze zich sommige dagen veel sterker – ze hoopt op beterschap want ze kennen CVS daar al veel langer.

'Annelies,' zegt Myriame, 'wil absoluut de nieuwe wereld zien, ze kan opeens mateloos enthousiast zijn en een halfuur later totaal leeggelopen. Kan ze die overtocht en de inspanningen wel aan?'

Ik weet hoelang een transatlantische vlucht kan duren, zelfs voor een gezonde reiziger, maar ik probeer hen gerust te stellen:

'Dokter De Meirleir en twee van zijn medewerksters zullen altijd bij haar zijn en wij zijn er toch ook nog.'

Terwijl ik denk hoe indringend een altijd aanwezige camera kan zijn – vooral wanneer je alleen maar je eigen kwetsbaarheid kan tonen – vraag ik Annelies wat ze eigenlijk over Lake Tahoe weet, onze eindbestemming.

'Professor De Meirleir zegt dat het een halve dag rijden is van San Francisco en ik heb foto's gezien van de Sierra Nevada, maar dat is helemaal geen woestijn.'

'Het is waar de Flintstones vroeger gewoond hebben,' vertel ik haar.

Ze lacht heel even.

'Overal liggen reusachtige afgesleten keien en rotsen en er groeien torenhoge Douglassparren. Soms waan je je in de Rocky Mountains, het is een bijzonder mooie streek, je zal het allemaal te zien krijgen.'

'Ik zou graag in San Francisco shoppen, misschien een Swatch-uurwerk kopen, of een jeans. Hebben we daar tijd voor?'

'We zullen allemaal even moeten bijtanken. Een tussenstop in de stad en een bezoekje hadden we eigenlijk toch al gepland, tenminste als jij je goed genoeg voelt.'

'Wees maar zeker,' schreeuwt ze uitbundig, 'in mijn Rolls-wagentje dwars door San Francisco!'

Ik zie nog net hoe Myriame een bedenkelijk gezicht trekt. Ze is er helemaal niet gerust in. Ze vat moed en zegt: 'Als een Amerikaanse specialist haar ginder wil onderzoeken en jullie met die uitzending de taboe's rond CVS kunnen wegwerken, dan is het voor mij goed, maar zorg er alsjeblieft voor dat ze weer veilig thuiskomt.'

'Dat dacht je maar!' roept Annelies. 'Ik blijf daar, dan heb ik geen gezeur meer aan mijn hoofd.'

Myriame lacht.

'Ik ben wel meer gewoon,' zegt ze.

Ik voel dat ik naar huis moet en wanneer ik even later aan de deur afscheid van haar neem, staan er tranen in haar ogen.

'Als ze maar beter wordt,' zegt ze, 'en jij ook.'

Net voor ik in Wetteren ben, zie ik rechts van de weg een oud park met prachtige bomen. Op een of andere manier doet het me denken aan het Wissebos, waar ik vroeger vaak speelde met Jan en Anton. Ik zou even willen stoppen, maar ik zie in mijn achteruitkijkspiegel dat het verkeer te druk is en ik weet dat ik al mijn energie zal nodig hebben om zonder ongelukken thuis te geraken.

Op de autosnelweg naar Brussel denk ik weer aan Annelies, hoe ze door het oog van de naald is gekropen. Professor De Meirleir heeft zeker het ergste kunnen voorkomen, maar ik weet dat hij ook nog twijfelt omdat Annelies aan een atypische vorm van CVS lijdt. Daarom wil hij haar in Californië laten onderzoeken door Dan Petersen, de *éminence grise* van de CVS. Petersen wordt beschouwd als dé baanbreker, de man die de wereld verplichtte om de ziekte ernstig te nemen. Als een van de eerste onderzoekers beschreef hij het ziektebeeld al in de jaren '80 en sindsdien wordt hij over de ganse wereld als een autoriteit erkend. Het zou prachtig zijn indien beide dokters samen een nieuwe therapie zouden vinden voor Annelies en voor ons allemaal. Maar ik maak me ook zorgen over wat Myriame zei: de reis zal heel zwaar worden – en wij mogen die belasting niet nog groter maken, omwille van enkele 'sterke' televisiebeelden meer. We mogen geen enkel risico nemen.

Aan de overkant van de snelweg begint het verkeer te stremmen. Brussel loopt leeg. Mijn gedachten dwalen af, ik denk aan Myriame, aan alle moeders van de wereld – aan moeke die tien jaar geleden stierf. Ik mis haar.

><

Het leek me onwaarschijnlijk – hoe klein ik toen ook was – dat een treinbestuurder met één long zo dikwijls werd opgeroepen voor lange nachtdiensten. Maar pa was sterker dan andere vaders, daar was ik stellig van overtuigd. Als we van school thuiskwamen, sliep hij en dan moest moeke ons telkens weer aanmanen om de deuren niet, ofwel heel zachtjes te sluiten, terwijl we letterlijk 'op onze sokken' door het huis liepen.

'*Respectez le repos de vos parents,*' was een van de stelregels van pa. Als soldaat had hij een mondje Frans geleerd en om eens wat anders te zeggen, pakte hij daar ook geregeld en graag mee uit. Omwille van zijn levensnoodzakelijke 'dagrust' stuurde moeke ons, na ons huiswerk, zoveel mogelijk naar buiten, naar de Vakschool, of naar het Wissebos.

Het Wissebos lag achter 'den Atelier', aan de rand van het drukke rangeerstation. Er groeiden waterwilgen en berken in een wilde, groene driehoek tussen een steenhouwerij, kleine fabriekjes en een drukke baan die we nooit mochten oversteken. Het bosje had amper de oppervlakte van twee voetbalvelden, maar het was groot genoeg om er als kind tussen zompige moerasjes en vuile sloten te verdwalen. We vingen er zoveel prachtige salamanders dat de inmaakpotten van moeke soms te klein waren om ze allemaal levend thuis te krijgen. Achter de salamanderbeek hadden we in de hoogste bomen een onneembaar kamp gebouwd, met 'zicht op de vijand'. Wat ik me daarbij precies moest voorstellen, wist ik niet. Wij waren zowat de enige kinderen die het Wissebos kenden, zo afgelegen en gevaarlijk dicht tegen het rangeerstation.

Het was zomer en bijna vakantie. Ik kreeg de bijzondere taak om het kamp tegen indringers te bewaken. Dat vonden Jan, Anton en Jean-Pierre heel belangrijk en gemakkelijk bovendien, omdat ik klein van gestalte was en in hun ogen voor zowat alles 'te jong' bleek te zijn. Zo zouden vandaag enkel de grote krijgers op veroveringstocht gaan. Plichtsbewust klom ik dus in het winderig arendsnest dat we – veel te hoog in de bomen – aan doorbuigende takken hadden vastgesjord. Het was allesbehalve een veilige schuilplaats, want bij de minste beweging begon de fragiele constructie gevaarlijk te schommelen. Ik hield me hoe dan ook stil. Hoelang ik bleef zitten zonder me te bewegen, weet ik niet meer, maar naarmate de zon hoger klom, vergat ik waar ik was.

Als een eenzaam hemellichaam bij klaarlichte dag, hing ik daar, alleen boven de aarde. Een vreemde kracht kwam over mij, een besef dat ik niets hoefde te doen, maar alles aankon. Niemand kon me beletten om over de wereld te vliegen; naar ons huis, waar pa lag te slapen; naar de steenweg, de tuinwijk en de gelatinefabriek en verder nog, naar onbekende landen die zelfs de meester op geen enkele landkaart zou kunnen aanwijzen. Fietsende werkmannen verdwenen tussen glinsterende spoorstaven, nog voor ze dichterbij konden komen; de steenhouwers onder hun lage afdaken sloegen zonder geluid scherven in de lucht; het Wissebos dat ik door en door kende en grondig in kaart had gebracht, werd een reusachtig oerwoud, een duistere, groene diepte waarover ik niets met zekerheid wist. Ik zag tropische bomen met griezelige insecten die in vieze trosjes onder de natte bladeren kleefden. Overal hoorde ik dieren en angstige vogels met schrille kreten opvliegen, omdat ik te dicht bij hun nest kwam. Straks zou pa – alleen en in volkomen duisternis – met zijn onverwoestbare trein door het woud rijden en goederen en welvaart naar de verste uithoeken van de wereld brengen. Donkere schaduwen vielen nu over het bos. Het werd kil. Ik had een lange, vreemde reis gemaakt, zonder vriend of vijand te bespeuren. Ik keek om me heen. Er kwamen andere geluiden dichterbij: de treinen in het rangeerstation en de auto's, die verderop over de gevaarlijke steenweg reden. De zon was weg. Verstijfd en verkleumd kroop ik uit de boomhut en ging naar huis. Moeke was boos.

'Jan is al een paar uur thuis en waar heb jij al die tijd gezeten?'

Ik wou haar vertellen over mijn vlucht over de wereld en over het oerwoud, over alles wat ik daar gezien had, over de vreemde bomen en de dieren en de insecten, maar ik zag alleen maar een voor mij onbegrijpelijke angst, die niet uit haar ogen week. Ik kreeg geen woord over mijn lippen.

Moeke is er niet meer en het Wissebos en de salamanders zijn verdwenen, in ruil voor een lelijke bowling met annex 'Snooker palace'. De oude steenweg is breder geworden, met fietspaden en een bos verkeerslichten. Op het kruispunt met de nieuwe ring-laan is het – voor een provincienest – onvoorstelbaar druk gewor-den. Door kleine tunnels onder het zwarte asfalt zoeken geruislo-ze fietsers onder de grond hun weg naar de overkant. De auto's rijden nu van een lange betonnen brug naar beneden, dwars door het oerwoud van mijn verbeelding, mijn jeugd.

Waar zijn Anton en Jean-Pierre, en waar is die grenzeloze kracht van toen gebleven?

><

| *10 april 1997* |

Het is middag. In de kleine wachtzaal van de dienst Sportge-neeskunde van het Academisch Ziekenhuis van Jette is het nog even rustig. Straks komen een tiental (andere) patiënten van dokter De Meirleir. Ongeveer tien van de tienduizend doodver-moeide Belgen, waarvan er vandaag amper duizend bekend zijn die regelmatig op consultatie komen. Mensen die dringend hulp nodig hebben en ook krijgen, in de mate dat het voor het te klei-ne team enigszins mogelijk is. Soms blijft het echter alleen maar bij 'eerste hulp' bij het voorlopig 'onverklaarbaar ongeval' dat CVS heet: enkel de diagnose en dan niks meer. Niet iedereen kan de confrontatie met de ziekte verwerken of de eventuele behan-deling betalen – er is geen tussenkomst van het ziekenfonds en amper één psycholoog voor bijna duizend patiënten. CVS is een dubbele straf.

Toen ik hier in 1994 voor de eerste keer kwam, keek ik raar op toen ik tussen enkele kerngezonde atleten mocht plaatsnemen. Want naast de strijd tegen het chronisch vermoeidheidssyndroom (toen waren er weliswaar nog maar weinig patiënten geregis-treerd), deden Kenny de Meirleir en zijn team vooral inspan-ningsproeven en hartonderzoek bij sportmensen – ook nu nog overigens. Hij is een autoriteit in sportgeneeskunde en hoogle-raar, met studenten en examens en alle nazorg vandien. Daaren-boven staat er nog een leger van radeloze, uitgeputte mensen te wachten op een afspraak en op een eventuele behandeling tegen CVS.

Ik duizel, want ik begrijp niet hoe hij het al die jaren heeft klaargespeeld en iedere dag weer klaarspeelt. Ik wil even niet na-denken – ik kan het trouwens niet – over dé vraag die geen enke-le CVS-zieke wil horen: hoe kan je voortdurend blijven preste-ren, voortdurend blijven doorgaan? Het is een te moeilijke vraag, voor wie het beu is om al zo lang ziek te zijn, ziek van zo lang zo moe te zijn. Telkens ik in zijn hyperbedrijvige dienst kom, blijft die vraag me achtervolgen – en vandaag is het niet anders – want vanuit een soort eetkamer-keukentje komt de professor alweer kwiek en monter het 'Huis van Vermoeidheid' binnen. Ik heb amper vijf minuten op hem moeten wachten, ditmaal heb ik geluk. De ogenschijnlijk ontspannen manier waarop hij achter zijn bureau gaat zitten, kan zijn enorme gedrevenheid niet verbergen. Dit is iemand die bijzonder hard werkt, iemand die door – god weet – welke god geschapen werd voor een 88-urenwerkweek. Zijn motto is niet 'Tijd is geld', maar 'Vooral geen tijd verliezen, want mijn doel heiligt alle middelen.' Hoelang nog, Kenny? Ik ben er zeker van dat hij zijn lunchpauze weer heeft overgeslagen om snel nog een en ander met zijn medewerksters te bespreken.

'Hoe is het met je?'

Ik voel dat zijn interesse oprecht is en het doet me deugd, vooral nu ik alweer zoveel weken heel wat 'minder' ben.

'Het wordt erg moeilijk om mijn werk nog behoorlijk te doen,' zeg ik hem. 'Ik vrees dat *Te moe om te sterven* mijn allerlaatse programma zal worden.'

'Je mag eigenlijk nog van geluk spreken,' zegt hij tot mijn verbazing, 'dat je nog altijd bezig bent. Dat komt wellicht door een massale aanmaak van adrenaline en het feit dat je altijd een gezonde ambitie hebt gehad.'

'Gehad,' zeg ik.

'Gehad, ja, en dat is nu maar even goed ook, want je ambitie zou er je uiteindelijk toch onder gekregen hebben, vooral nu je ouder wordt...'

Ik begrijp niet waarom nét hij me daarvan wil overtuigen... de pot verwijt de ketel dat hij zwart ziet. Ik probeer mijn hersens nog wat te sparen, want dit is een intelligent iemand die zelfs voor een insider niet altijd gemakkelijk te volgen is. Ik ben een insider, maar ik ben moe.

'Als je ouder wordt...'

'Ik ben nog nooit zo oud geweest al vandaag,' werp ik op.

Hij gaat echter onverstoorbaar verder: '...moet je die opstoten van "alles willen kunnen" leren onderdrukken en beheersen...'

'Ik voel me verschrikkelijk oud, ik ben werkelijk nog nooit zo oud geweest als vandaag.'

In een vertraagde flits besef ik opeens dat iedereen dat op ieder moment van zijn leven kan zeggen. Ik ben moe en een zeurkont bovendien.

Hij gunt me even de tijd om te beseffen dat ik hem niet nodeloos moet onderbreken – ik, een chronische patiënt die voor hem altijd in herhaling zal vallen.

'Ambitie en adrenaline gaan samen, en daardoor kon je tot nu toe ook zo lang blijven werken,' zegt hij.

Had hij dat niet eerder al gezegd?

Hij ziet me denken. Hij weet dat ik – van heel ver – opnieuw mijn hersenfocus moet bijregelen; dat ik moet terugkomen in zijn praat-radius.

'Maar die adrenaline-opstoten zullen in jouw geval blijven terugkomen en dan zal je willen doorgaan en je hart zal het weer hard te verduren krijgen, met een nieuwe tachycardie als gevolg.'

'Merci, Kenny. En dat gaat dan zomaar verder en verder?'

'We kunnen die opstoten van adrenaline reguleren. Maar ambitie is psychologisch en fysiologisch heel belangrijk voor iemand die CVS heeft, veel meer nog dan voor een gezond iemand. En in jouw geval kan dat zelfs de zwaarste depressie tegenhouden.'

'Maar wat moet ik met die ambitie? Ik kan alleen maar toekijken hoe ik stilaan van het scherm verdwijn; hoe anderen intussen de klus klaren; hoe ik nog zoveel zou willen doen en hoe weinig ik eigenlijk nog kan.'

'Dat is dan vooral het bewijs dat je nog altijd géén depressie hebt. Want wie écht depressief is, wil niks meer, ook al zou hij misschien nog kunnen. Wie aan CVS lijdt – of hij nu het 'strijdbare' type is, of niet – wil nog altijd, maar kan niet meer. Dat is het grote verschil tussen een zware depressie en chronisch vermoeid zijn. En dat is ook mijn antwoord aan de psychiatrie en hun oeverloos ontkennen van het 'virus', van de resultaten van de bloedanalyses en van de enzyme-afwijking die we ontdekt hebben.'

Hij windt zich op. Dat gebeurt zelden, denk ik. Hij is wellicht zelf vermoeid, of heeft misschien weer een of ander controversieel forum over chronische vermoeidheid achter de rug, of een fundraising-avond van een van de zelfhulpgroepen die onophoudelijk aan zijn jas blijven trekken. Terwijl ik even nadenk over wat hij zei over mijn ambitie en adrenaline, en willen-maar-niet-kunnen, besef ik plots wat het zou betekenen als hij zijn werk niet meer zou mogen of kunnen doen. Hij zou beter zélf wat afremmen, vind ik, maar met zijn analyse heeft hij ongetwijfeld gelijk, wat mij betreft. Al die jaren – sedert Bob Dylan in Rotterdam, nu bijna twintig jaar geleden – heb ik heel veel verwachtingen en ambitie gehad. Toen ik jonger was, leek ik voorbestemd voor 'grote boodschappen'; daarna geraakte ik er meer en meer van overtuigd dat het maar 'kleine dingen' waren die ik wou. Maar nu besef ik hoe veeleisend ik eigenlijk altijd ben geweest: zingen, An, de kinderen, vrienden, de radio, Japan, de tuin, bonsai's, televisie, boeken, netsuke's, natuur, de vijver, reizen, de familie, geluk, liefde en mezelf en...muziek, zoveel mogelijk mooie muziek. Het is een waslijst van verzuchtingen, genoeg voor drie ambitieuze patiënten – maar ik had ze allemaal op de een of andere manier nodig toen het echt 'menens' werd.

Ik probeer mijn ambities – is dit ook mijn geluk? – samen te vatten en zeg hem:

'Als ik achteromkijk, dan heb ik inderdaad geluk gehad, want ik heb bijvoorbeeld toch heel wat programma's kunnen maken. Ik ben intussen wel veel kwijtgeraakt, maar het betekent eigenlijk niets, naast wat er nog allemaal is...of zou kunnen zijn...soms. Tenminste...'

Mijn woorden zijn nog niet koud, of ik twijfel al aan mijn credo. Want straks misschien al, wanneer ik na een nieuwe mokerslag weer uitgeteld ben, zullen mijn ambitie en mijn geloof uiteindelijk ook bezwijken. Maar ik weet ook dat er iemand is, die me nog nooit in de steek heeft gelaten. Van zodra ik weer aanspreekbaar ben, zal ze mijn eigen herinnering zijn van wat ik wou zijn en nog niet ben: heel weinig, maar genoeg om verder te doen.

'Twintig jaar geleden, toen je voor het eerst zo moe werd,' zegt hij, 'had niemand in Europa ook maar enig benul van CVS. Ik weet niet in welke mate de ziekte toen bij jou heeft toegeslagen; hoe zwaar de belasting toén was, maar...'

'In ieder geval niet zo erg als nu, want er waren lange tussenperioden, soms maandenlang, dat ik niet herviel en nu kijk ik al uit naar één dag die een beetje goed is.'

Ik betrap me erop hoe zielig ik die laatste woorden formuleer. Hoe is het in godsnaam mogelijk: één minuut na de nuchtere, overzichtelijke inventaris van mijn geluk?

Maar Kenny knikt begrijpend en herhaalt wat hij me al zo vaak heeft gezegd: 'Het virus kan jarenlang blijven sluimeren en breekt plots door – voor jou toen, op dat concert. Maar ook dan zijn er nog heel veel ups en downs en gradaties mogelijk.'

Hij slaat nu mijn dossier open.

'In 1994 werd je hier voor het eerst onderzocht en was de diagnose duidelijk: CVS. Wat er daarvoor precies aan de hand was, weet jij alleen. Wat je daarover verteld hebt, bevestigt weliswaar de diagnose.'

'Maar voordien had ik mijn bloed meerdere keren laten onderzoeken, en telkens werd er een 'virale infectie' gesuggereerd, maar er werd nooit iets gevonden. Was dat voor dié artsen toen dan geen voldoende reden om toch verder te blijven zoeken?'

'Dat is misschien wel gebeurd ook, maar artsen zoeken – omdat geneeskunde, per definitie, altijd conservatief is – naar de bekende virussen, naar hepatitis, of een virale griep, of later wellicht naar het HIV-virus, en ga zomaar door. Omdat al die onderzoeken bij jou negatief waren, was er in hun ogen inderdaad niks, want er bleef enkel een onverklaarbare vermoeidheid over. Vergeet niet, er waren maar enkele artsen, verspreid over de hele wereld, die toen het bestaan van een CVS-virus vermoedden. En zelfs nu staat het onderzoek nog altijd in zijn kinderschoenen.'

'Wat weten jullie eigenlijk met zekerheid?' vraag ik hem, nogal aanmatigend.

Hij wacht even vooraleer hij antwoord geeft: 'Heel weinig, maar toch al genoeg om een *marker* te zien in het bloed, wat wijst op een afwijkende enzyme, waardoor het lichaam constant tegen een soort griep vecht en je voortdurend die zware vermoeidheid voelt.'

'Maar er zijn zoveel mensen die voortdurend moe zijn. Die hebben toch niet allemaal CVS?'

Ik weet dat die opmerking nergens op slaat, maar ik hoor ze zo graag weerleggen, zeker door hem.

'Allemaal CVS? Dat zou natuurlijk kunnen,' – hij zet me even op het verkeerde been en glimlacht – 'maar dat is onwaarschijnlijk. Je kent de hoofdcriteria even goed als ikzelf: het eerste is de vermoeidheid. Die moet langer dan een halfjaar duren, plots ontstaan zijn en – ook al zijn er soms "betere periodes" – ze moet de lichaamsactiviteiten tot de helft en minder reduceren. Het tweede criterium is dat alle andere oorzaken van vermoeidheid vollédig uitgesloten zijn. Pas daarna beginnen wij met ons onderzoek.'

'Ik heb een tijdje gedacht dat mijn rug- en nekletsels na dat fietsongeval, me zo moe maakten.'

'Dat had gekund, maar die wervels zijn nu al zo vaak gescand en onderzocht en de diagnose van al mijn collega's was niet overtuigend genoeg om zulk een zware vermoeidheid te blijven constateren. Spierpijnen en gewrichtspijnen horen altijd bij de symptomen, net zoals rillingen, keelpijn, gevoelige lymfeklieren of hoofdpijn.'

'Maar waarom valt iedere inspanning ons dan zo zwaar?'

'Dat is de kern van de zaak. Rust – na een zeer zware vermoeidheid zelfs – geeft normale mensen de mogelijkheid om er opnieuw tegenaan te gaan. Bij CVS is er een constante, virale aandoening. Zoals bij een zware griepaanval waarbij je 's ochtends even moe wakker wordt als de avond voordien, kunnen rusten en slapen geen echte beterschap bieden, enkel een beetje verlichting. Je moet "die griep" uitzweten, maar dan wel telkens weer opnieuw, jarenlang soms, en dat leidt onvermijdelijk tot totale uitputting.'

'Vorige week ben ik moeten gaan zitten onder de douche, ik kon niet eens meer blijven rechtstaan.'

'De inspanning van rechtstaan is dan enorm, soms al te veel.'

Het gesprek kantelt. Het wordt me ook weer allemaal te veel. Ik ben boos en wil er iets tussenbrengen, iets zinvols – zoiets als rechtmatige hoop op een doeltreffend geneesmiddel, nu, meteen – maar hij is mijn gedachten weer te snel af en zegt, alsof hij mijn vertwijfeling niet wil horen: 'Het is juist, er zijn patiënten die gedeeltelijk genezen zijn door onze behandeling, maar geloof me, in jouw geval ligt dat anders. Je zal moeten wachten. Er is nieuwe medicatie op komst die ook voor jou beterschap zou kunnen brengen.'

'In het magisch jaar 2000?'

'Je moet geduld hebben, we blijven zoeken.'

Onze tijd verstrijkt, en hoewel ik het niet over mezelf wou hebben – maar over het programma – zit ik hier nu, met voor de zoveelste keer dezelfde analyse, een lege kop en heel weinig goede vooruitzichten. Ik trommel al mijn denkcellen op en begin over *Te moe om te sterven*.

'Het programma,' zeg ik hem, 'moet zo duidelijk mogelijk blijven en ook voor buitenstaanders verstaanbaar zijn.'

Hij is het er volledig mee eens. Verder zeg ik hem dat we de hoofdrolspelers en vooral Annelies, gezien haar precaire toestand, omzichtig moeten aanpakken. We zullen daarom een strak scenario volgen, waarbij de rustperioden vooraf vastliggen en we toch nog kunnen inspelen op mogelijke vertragingen en tegenslagen. Het lijkt wel een cursus productieplanning, en als een kersverse stagiair, schrijf ik alles netjes op, tot in het kleinste detail. Want mijn 'harde schijf' kan zo meteen al crashen en dan is alles weg – cognitieve stoornissen horen immers ook bij de symptomen.

Onze tijd is nu wel helemaal verstreken en ik neem afscheid van Kenny terwijl ik hem Johnny noem. In de gang moet ik erom lachen en denk aan alle fraaie woorden, zoals 'cognitieve stoornissen', die de geneeskunde dagelijks verzint om de naakte waarheid te verdoezelen. Een paar meter verder trek ik een toiletdeur open om naar buiten te gaan: cognitieve stoornissen!

Over het parkeerterrein schijnt een heel flauw zonnetje en toch moet ik mijn zonnebril opzetten. Dat heet 'fotofobie': nog zo'n bijzonderheid, net zoals 'dyspnoe' waarvan je buiten adem raakt of een ernstig 'premenstrueel syndroom' waarvan ik gelukkig geen last heb. Ik ben moedeloos en opstandig tegelijk. Ik haat chrooooooonische vermoedheid! De hellehond Cerberus met zijn drie koppen is maar een schoothondje in vergelijking met het veelkoppig, vraatzuchtig monster dat ons overal en altijd wil opslokken.

Ik zie hoe een ambulancier een lijvig manspersoon helpt, zijn krukken op de achterbank schuift en daarna heel voorzichtig het omvangrijk lichaam van de ex-patiënt in de ziekenwagen hijst. Ik blijf even staan en hoor de dikke man nog net zeggen: 'Twee gebroken dijbenen, mijnheer, en nu na drie maanden eindelijk naar huis. Het werd tijd.'

Ik zou meteen willen ruilen met die man. Zijn ongeval wil ik er ook nog wel bijnemen, en desnoods tien paar krukken. Mijn schoonbroer overleefde een zwaar verkeersongeval en nu maakt hij de ene wereldreis na de andere, hij hoeft zich blijkbaar niks te ontzeggen. Wie gekwetst is, kan genezen en dat is niet eerlijk.

Een lijnbus toetert me van de baan af. Idioot! Er galmt een eindeloze scheepshoorn in mijn kop.

Ik zie hoe de ziekenwagen wegrijdt, en ik sta versteld van mezelf, van zoveel agressieve jaloezie. Wat weet ik over het leven van die man, over zijn pijn? Ik ben beschaamd over mijn arrogantie. Het is de ergste hebbelijkheid van wie chronisch ziek is: het koesteren van een bijna troostgevende en valse overtuiging dat alle anderen-op-de-godganse-wereld het veel beter hebben dan jijzelf.

's Avonds zitten we met zijn drieën aan tafel. Ik ben te moe om te kijken en staar naar Sam, mijn jongste zoon. Hij is al zeventien. Wat weet ik vandaag meer over hem dan dat hij absoluut muzikant wil worden en – net zoals ik nu – geen vis lust? An heeft een nieuwe wok gekocht, ze probeert nu al weken een gevarieerd menu samen te stellen dat licht, lekker en voedzaam is. Vandaag is dat een onmogelijke opgave, want mijn maag is weer eens de spelbreker.

'Wanneer heb jij Stevie Ray Vaughan weer ontmoet?' vraagt Sam, terwijl hij met duidelijke tegenzin een stuk kabeljauw tussen zijn tanden schuift.

'Dat was in Amsterdam na zijn concert in de Melkweg, begin jaren tachtig, dacht ik.'

'En jij hebt toen ook echt met hem gesproken? Wat heb je hem na zijn concert gezegd?'

Wat zou ik gezegd kunnen hebben? Hoe ben ik ooit in Amsterdam geraakt? Wie is in godsnaam Stevie Ray Vaughan? Ik heb geen hersens meer, alleen maar verschroeide darmen die voortdurend ranzige lucht omhoogdraaien door mijn slokdarm. Alles komt naar boven, en vandaag is dat helemaal niks: lege lucht van het totale niets kunnen doen, van niets te kunnen eten, en dus ook niets om te kunnen verteren. Hoe ver kan een lege maag dik en opgeblazen blijven uitpuilen? Is dit de hongerbuik van graatmagere, zwarte kinderen uit Afrika, op *prime time* in het televisiejournaal? Ik voel me ziek en uitgerafeld.

'Heb je toen lang met hem kunnen praten?'

Ik moet diep nadenken.

'Een paar uur toch, ja, op zijn hotelkamer,' zucht ik.

Maar Sam wil meer horen. Als er één gitarist is die hij mateloos bewondert, is het wel Stevie Ray Vaughan. Sam wil later van rockmuziek kunnen leven – hoe dan ook. Met zijn oudere broer Sven en Wim, zijn leraar aardrijkskunde heeft hij *Toendra* opgericht. Hoewel hij vooral zijn eigen nederlandstalige liedjes zou willen zingen, stond *Voodoo Chile* meteen op zijn repertoire – in de versie van Vaughan, uiteraard. Toen ik hem dat de eerste keer in zijn kelder hoorde spelen, met de krachtige, bijtende *wawa*-klanken van zijn gitaarsolo erbovenop, was ik aangenaam verrast. Blijkbaar had hij in alle stilte geoefend, misschien wel om mij plezier te doen?

'En wat is je toen het meest aan hem opgevallen?' vraagt hij.

'Dat hij goed zat was, en een beetje *stoned*, denk ik.'

'Is dat alles?'

Sam wil meer weten. Hij vindt het ongelooflijk dat die tamme, traag zwalpende vader met zijn constante, irritante maagoprispingen, in een vorig leven zomaar met Joni Mitchell, Arno of Stevie Ray Vaughan kon 'optrekken'.

'Optrekken is een groot woord. Ik deed gewoon mijn werk voor de radio. We hebben heel wat rockzangers en concerten kunnen opnemen, maar ik heb daar eigenlijk nooit bij stilgestaan. Ja, nu wel natuurlijk, nu heb ik tijd zat om daarover na te denken.'

'En heb je hem ook gezegd hoe fantastisch hij wel was? Speelde John Hammond toen nog in zijn groep?'

Stilte. Sam begrijpt niet dat ik dat nu niet meer weet.

'Besef je wel dat Vaughan een paar jaar later verongelukte?' Hij is nu echt geëmotioneerd. 'Dat Eric Clapton diezelfde stomme helikopter eerst ook wou nemen en dat het nu enkel Stevie Ray Vaughan is die dood is! Waarom net hij? Dat is toch onvoorstelbaar!'

Ik wil hem niet zeggen hoeveel dingen er onvoorstelbaar zijn: een leven bijvoorbeeld, soms nog meer dan welke dood ook. Nu pas kijk ik echt naar Sam: ik zie zijn dromen, zijn muziek, maar ik voel me doodmisselijk. Ik zou toch tenminste met hem nog over een vorig leven kunnen spreken? Stevie Ray Vaughan kan dat niet meer. Sam zwijgt. Ik zie de ontgoocheling in zijn ogen en zou hem meer willen vertellen over zijn idool; hoe ook ik – boordevol verwachtingen – naar Amsterdam reed voor dat uniek concert en hoe overdonderend sterk Vaughan toen inderdaad ook was. Ik zou opnieuw enthousiast willen zijn, maar ik heb bijna alle woorden die ik nog ken, opgebruikt.

'Het was ongetwijfeld het beste concert dat ik ooit heb gehoord, na dat van Joni Mitchell in het Koninklijk Circus,' zeg ik hem.

'Dat kan niet!' roept Sam, maar ik weet beter.

Ik zou nu toch iéts moeten kunnen eten, maar ik krijg geen hap door mijn keel. Mijn maag is een dikke leren zak die alleen maar onophoudelijk en onfatsoenlijk kan oprispen in een resem boertige klanken: een luidruchtige stroom van beledigingen voor An en haar – vandaag voor mij – volkomen nutteloze kookkunst.

'Vind je het erg als ik even ga liggen?'

Ze knikt. Ze probeert het te begrijpen. Maar ik zie dat ook zij haar ontgoocheling moet doorslikken.

Het gladde leer van de sofa voelt kil aan. Ik luister naar de diepe, gekraakte stem van mijn jongste zoon, de rockzanger. Hij praat nu zachter met zijn moeder omdat ik weer ben gaan liggen. Ik hoor woorden en zinnen. Het ontgaat me waarover ze het hebben. Ik schuif in een ander verhaal.

Joni Mitchell loopt het podium af. Ik sta in de coulissen, ontroerd en immens gelukkig omwille van het 'volmaakte concert'. Ze is nu vlak bij me: de helderste ogen die ik ooit heb gezien, kijken me aan. Ze neemt even mijn handen vast en zegt: *'Thank You'*. Ik bedank haar voor wat ik nooit zou willen vergeten, en doe mijn ogen dicht.

>←

Liefde voor muziek, en daarmee bij Omroep Brabant als producer je brood kunnen verdienen, iets mooiers kon ik me niet voorstellen. In de herfst van 1979 werd ik voor de eerste keer als afgevaardigde van de BRT naar Genève gestuurd waar de hoofdzetel van de EBU was gevestigd: de Europese Radio Unie. Het was mijn eerste buitenlandse opdracht, een eerste grote 'dienstreis' en in alle opzichten merkwaardig. De grote oliecrisis had de wereld een paar jaar voordien grondig door elkaar geschud. In Genève was daar echter niet veel van te merken, integendeel, de taxichauffeur die me naar het centrum bracht, vertelde me dat de Zwitserse banken gouden zaken deden en dat hij nog nooit zoveel rijke Arabieren in de stad had gezien. De aanmatigende vanzelfsprekendheid waarmee internationale organisaties in de duurste stad van Europa zetelden, stootte me tegen de borst. Het verbaasde me dan ook niet dat andere jonge radioproducers er ook zo over dachten. Op de eerste plenaire zitting maakten we ons ongenoegen over die exclusieve gang van zaken kenbaar. Luxehotels, dure representatiekosten en buitensporige werklunches strookten immers niet met het imago dat we onszelf hadden aangemeten.

De '*angry young men*' van de EBU, zo stelde de voorzitter, Herr Doktor Direktor van de Bayerische Rundfunk, moesten dan maar apart vergaderen. De oude garde had niet de minste moeite om een nieuw *ad hoc committee* binnen het *Light Music Department* uit de grond te stampen. Zo waren ze voortaan van die vervelende pottenkijkers verlost.

We waren met zijn vijven: twee BBC-producers, een Zweed, een Duitser en ikzelf. Omdat we er niks voor voelden om als een soort brave EEG-ambtenaren het conformistisch spelletje van deftige heren in dure maatpakken mee te spelen, stelden we een alternatieve agenda op. Het feit dat John Peel, de vader van alle diskjockeys en zijn producer John Walters in ons clubje zetelden, speelde duidelijk in ons voordeel. Met de steun van de machtige BBC konden we enig gewicht in de schaal werpen. Christer Eklund uit Zweden zou onze woordvoerder zijn en Peter Schulze van Radio Bremen en ikzelf stelden een actieplan op. Het eerste punt op onze agenda was het Eurovisiesongfestival. We waren er ons terdege van bewust dat het paradepaardje van de EBU niet zomaar zou struikelen omdat vijf heethoofden dat graag zouden zien gebeuren. Maar we wilden wel eens wat anders: nieuwe festivals die ook een jong publiek aanspreken.

De EBU was een sterke organisatie die over de nodige fondsen beschikte om eventuele nieuwe plannen mogelijk te maken. We moesten het wel handig spelen en zoveel mogelijk commissieleden voor onze zaak zien te winnen. Na heel wat informele gesprekken en twee dagen apart vergaderen hadden we onze voorstellen klaar. Op de slotvergadering dienden we een motie in waarin we de grote bonzen vroegen om een Folkfestival en een Rockfestival met Europese allure te mogen uitbouwen. Tot onze grote verbazing werd unaniem een resolutie aangenomen, waardoor beide festivals de eerstkomende jaren zouden gerealiseerd worden. We waren totaal verrast. Toen we, na de algemene vergadering, nog wat stonden na te genieten van onze overwinning, kwam de directeur van de Deense radio – een opmerkelijk progressief man – ons feliciteren. Hij voerde al jaren een eenmansgevecht om de Radio Unie te democratiseren en nu had hij opeens vijf overtuigde medestanders.

'Finally. Now it's up to you,' zei hij en dat overviel ons wel een beetje. Niemand reageerde, en omdat we sprakeloos naar de grote fontein in het meer bleven staren, voegde hij er meteen aan toe dat de Deense Radio het eerste EBU-folkfestival in Denemarken wou patroneren.

'And the next year, it should be Brussels.'

Hij gaf me een bemoedigend schouderklopje en ik begreep dat ik nu het thuisfront zou moeten overtuigen en dat de organisatie van die nieuwe festivals de komende jaren nog heel wat werk zou vragen.

Met zijn vijven – we werden intussen, enigszins honend, de *founding fathers* genoemd – trokken we naar een klein Italiaans restaurant, vooraleer we later op de avond zouden afreizen. Het ging er bijzonder hartelijk aan toe en toch was het een vreemde bedoening; mensen die een paar dagen voordien nog totaal onbekenden waren voor mij, gedroegen zich nu opeens als vrienden voor het leven; we waren – een beetje opgeklopt en naïef – wapenbroeders die samen eenzelfde gevecht wilden aangaan: een muzikale kruistocht voor een democratisch Europa. Ik keek enigszins van op afstand naar het vertoon en besefte nu pas dat ik nauwelijks iets wist over mijn vier metgezellen, dat ik deel uitmaakte van een clubje dat veel meer ervaring had dan ik, en waarbij ik tot dan toe alleen maar mezelf had kunnen inbrengen. John Walters vertelde midden in een hap tagliatelli dat hij straks zijn vriend Eric Clapton even zou bellen om onze zaak definitief in ons voordeel te beslechten. Het klonk heel gewoon. Christer Eklund vroeg of ik er niets voor voelde om in Zweden te komen werken en samen met hem een Europese popzender op te richten. Ik moest even slikken. Naarmate we meer Chianti dronken, kwamen er meer strijdplannen op tafel: het ene verhaal zo mogelijk nog sterker dan het andere – alsof we er tot vandaag mee hadden gewacht om onze troeven voor de toekomst uit te spelen. De euforie was compleet, want de overwinning was in zicht. Pas toen Peter Schulze een paar uur later zei dat hij zijn vliegtuig had gemist, namen we afscheid van elkaar: 'Vergeet niet dat de belangrijkste achterhoedegevechten op het thuisfront zullen uitgestreden worden,' en 'tot over enkele maanden in München, voor de ultieme reunie: de veldslag voor een fatsoenlijk budget!'

Ik moest nog alles leren.

Toen ik 's avonds in de luchthaven van Genève toekwam, zag ik dat de vlucht naar Brussel enkele uren vertraging had opgelopen. Ik checkte in en installeerde me in de ruime, moderne wachtzaal. Enigszins verward door de afgelopen gebeurtenissen, haalde ik de laatste rapporten van het colloquium boven – het stond er allemaal netjes gedrukt: *Regulations for the new EBU-Rock and Folkfestival* – maar al spoedig had ik geen zin meer om nog verder te lezen. In het midden van de enorme hall stond een metershoog kunstwerk, een reusachtig *perpetuum mobile*, naar een ontwerp van Salvador Dali. Het vernuftig bouwsel was bijzonder ingenieus van constructie en leek totaal overbodig, het gaf de indruk van een inderhaast en onbetrouwbaar ineengeknutseld zonnestelsel.

Hoe langer ik er echter naar keek, hoe aantrekkelijker ik het vond. Het geheel was voortdurend in beweging – dat was uiteraard de bedoeling – maar ik zocht tevergeefs naar een begin, een aandrijfmotor. Ergens moest toch een eerste tandwiel of een wentelrad zijn dat de hele zaak deed schommelen, draaien en kantelen? Het kunstding symboliseerde de tijd en net zoals de schilderijen die ik van Dali kende, was het bevreemdend en logisch tegelijk. Ik herinnerde me een van zijn werken met daarop drie geplooide en gesmolten zakhorloges. Toen ik dat voor het eerst zag vond ik het ook normaal, net zoals een onmogelijke droom vaak heel normaal kan zijn. Ik keek om me heen. De wachtzaal lag naast een brede, centrale wandelgang, los van het hoofdgebouw en enigszins buiten de drukte. Afgezien van een zeldzame reiziger die even bij de bewegende machine stilstond en verder liep, kwam er nauwelijks iemand in de zaal. Ik zat pal voor het kunstwerk, als een museumbezoeker op een bankje, die op enige afstand naar een reusachtig schilderij kijkt. De tijd ging langzaam voorbij. Ik zag hoe de seconden voor mijn ogen bewogen en door een vreemde

roterende mechaniek, telkens opnieuw in minuten werden om-
gezet. Ik dacht om nog een krant te kopen, toen er vanachter een
scheidingswand opeens een kleine terriër in beeld kwam. Het dier
trok driftig aan een lange, strakgespannen leiband waar voorlopig geen eind aan scheen te komen. Het hondje was nu al bijna
tien meter alleen in de hall, tot bij het *perpetuum mobile* getrip-
peld, en nog steeds was er geen baasje te bekennen. Vanop mijn
zitplaats keek ik gefascineerd toe, wachtend op het vervolg van
de vertoning – want waar bleef de eigenaar van de terriër? Ik volgde de leiband en zag nu een uitermate gedistingeerde jongeman:
een zuiders type in een keurig zwart maatpak. In zijn ene hand
hield hij de leiband vast, in zijn andere droeg hij een kleine akte-
tas die met een ketting aan zijn pols was bevestigd. Het vreemde
duo – ze bleven al die tijd ver van elkaar verwijderd – paste perfect in de surrealistische omgeving. Man en hond stonden nu stil
bij het kunstwerk als twee levende paaltjes met daartussen een
touw, net zoals de eerder symbolische afsluitingen in een museum.
Achter de man volgde een moeizaam stappende, oudere vrouw.
Ik meende haar al eerder gezien te hebben, maar hoe ik ook mijn
hersens pijnigde, ik kon haar niet meteen thuisbrengen. Het
hondje, zijn baas en de vrouw stonden nu stil in een onwezenlijk
decor, als in een schilderij van Delvaux: los van elkaar en toch
om een of andere reden met elkaar verbonden. Ik kon mijn ogen
niet geloven toen het tafereel helemaal vervolledigd werd. Een
vreemd uitgedoste man kwam als laatste de scène op, volledig in
het zwart gekleed, met een korte cape over zijn schouders en een
breedgerande hoed op zijn hoofd. Hij zag eruit als een oude goo-
chelaar, die na jaren afwezigheid een laatste nummertje komt
opvoeren. Hij zwaaide even met zijn stok en stapte vrolijk grinni-
kend naar zijn eigen kunstwerk. Ik dacht dat ik droomde, maar ik
herkende meteen de unieke krulsnor en de fonkelende, satani-
sche ogen: het was Salvador Dali. Hij stond een ogenblik stil, tikte goedkeurend met zijn toverstok tegen een metalen drijfstang
en verdween daarna met zijn reisgezelschap door een openstaan-
de deur -zomaar, weg uit de realiteit.

Ik was totaal verbouwereerd en stond recht om te zien of er nog andere mensen het merkwaardige spektakel hadden gezien. Achteraan in een hoek zat nog een man, een grijze zestiger, half met zijn rug naar me toegekeerd. Hij maakte aanstalten om op te stappen. Ik wou van hem horen dat ik niet had gedroomd, dat ik inderdaad Dali en zijn vrouw Gala had gezien – wat hij daarbij van me zou denken was het minste van mijn zorgen. Ik liep naar hem toe, hij gluurde over zijn schouder en ik zag dat hij bang was. Toen ik nog een paar meter van hem verwijderd was, dook hij in elkaar, alsof hij een paar rake klappen verwachtte. Ik begreep er niks van en verontschuldigde me – in het Engels – dat ik hem gewoon maar iets wou vragen. Het was alsof ik hem voluit in zijn gezicht had geraakt, hij hief zijn beide armen voor zijn hoofd en was volkomen in paniek. Ik deinsde een paar stappen achteruit en terwijl hij uit zijn stoel probeerde weg te geraken, riep hij: 'Don't do it, don't do it!'

Pas nu herkende ik hem. Het was Edward Heath, de voormalige premier van Engeland. Nog vooraleer ik besefte wat hier allemaal op één minuut tijd gebeurde, stormde hij vooruit door de wachtzaal, waardoor zijn paspoort op de grond viel.

Ik was zodanig de kluts kwijt dat ik hem bij zijn voornaam riep: 'Edward, Edward' – alsof het mijn eigen broer was. Midden in de hall bleef hij staan en toen ik met zijn paspoort zwaaide en met mijn handen gebaarde dat het allemaal een spijtig misverstand was, kwam hij aarzelend terug. Ik kon niets anders zeggen dan: 'Sorry, Mister Heath.'

De situatie was volkomen belachelijk en door de spanning begon ik opeens te lachen. De angst verdween uit zijn ogen en hij bedankte me voor mijn goodwill. Ik vertelde hem wat ik net had gezien, daar beneden bij het kunstwerk – really! – en dat het toch wel ongelooflijk was dat ik amper enkele ogenblikken later ook nog een prime minister van Britain tegen het lijf was gelopen. Ik voelde me onnozel. Hij zei dat hij heel erg moe was en verontschuldigde zich. Hij bleef op zijn hoede en vertelde me dat er mensen waren die het op hem gemunt hadden; dat hij bang was voor aanslagen van extremisten – nu hij geen premier meer was en zonder lijfwachten moest reizen – en dat het in een gewone wachtzaal uiteindelijk nog veiliger was dan in de *VIP-lounge*. Ik zei hem dat hij daar nu wellicht met Salvador Dali een babbeltje had kunnen slaan, maar ik besefte meteen hoe misplaatst die opmerking was. De man had wellicht meer groten der aarde ontmoet dan hem lief was. Hij verontschuldigde zich nogmaals voor het gebeuren en zei dat zijn vliegtuig klaar stond om te vertrekken.

Een uur later keek ik naar de kleiner wordende lichtjes van Genève diep beneden, in de donkere nacht. Ik dacht terug aan de bizarre ontmoetingen – nog even kwamen de beelden terug, scherp en duidelijk – maar de opwinding was verdwenen. Niemand zou me ooit geloven. Maar het was gebeurd en het was waar. Wat was waar? En was die waarheid ook maar ergens belangrijk? Koekoeksklokken, Arabieren en Alpen in het nachtelijke donker waren ook waar. Alles versmalde in mijn hoofd, werd dun en minuscuul en onbeduidend relatief: de tijd, rockfestivals, de EBU, premiers en kunstenaars. Mijn ogen werden zwaar en mijn hart klopte te snel. Het was een bijzonder vreemde week geweest, een dienstreis van een andere reiziger. Ik voelde me loom en viel in slaap.

In Zaventem stonden An en de kinderen me op te wachten.
'En papa?' vroeg Sven, 'Was het fijn in Zwitserland?'
'Ja,' zei ik, 'ik heb Salvador Dali gezien.'
Hij keek me even aan en vroeg toen: 'Is dat ook een zanger?'
'Neen, jongen, hij is de koning van Spanje.'

>‹

14 april 1997

Ik heb mijn belofte gehouden. We zijn een paar dagen met Sam naar Londen geweest en nog wel met de Eurostar. De goden waren me goedgezind en afgezien van enkele kleine inzinkingen, verliep de reis vrij behoorlijk. Ik ben blij dat het toch nog gelukt is, want na Sven en Kim heeft Sam nu ook de metropool van zijn dromen gezien, de bakermat van de rockmuziek.

De prijs voor dit uitstapje zal ik later wel betalen, maar daar maak ik me nu nog niet druk over: *Que sera, sera.* Wat me echter wel zorgen baart is de knobbel onderaan links in mijn lies, een duivenei dat daar eigenlijk niet hoort te zijn. Hoewel we in Londen zo weinig mogelijk rondgelopen hebben – we deden alle verplaatsingen met de *underground* en het *sightseeing*, als echte toeristen, in een dubbeldekker – is er misschien toch iets misgelopen. Heb ik mijn benen toch te veel gebruikt, of was die knikker daar al langer?

Vorig jaar bleek mijn meniscus gescheurd te zijn, wat ik bijna lachwekkend vond, omdat ik dacht dat het een typisch arbeidsongeval was voor topsporters. Maar de diagnose van de radioloog was onverbiddelijk: 'U beweegt misschien heel weinig mijnheer, maar u beweegt verkeerd.'

Ook dat nog.

Maar de ingreep en het herstel waren bijna aangenaam. Na de operatie was de pijn weg en bij iedere kinesitherapiebeurt voelde ik mijn kniespieren sterker worden. Dit was een handicap die beter kon worden, die kon genezen en uiteindelijk zelfs helemaal zou verdwijnen. In vergelijking met de ontelbare uren osteopathie en kinesitherapie voor mijn rug en mijn nek, waardoor de infecties eigenlijk alleen maar erger werden, was dit een verademing. Ik kon weer ongebreideld in de medische wetenschap geloven.

'Het is zonder twijfel een liesbreuk,' zegt Leo. 'En nog serieus ook. Hoelang loop je daarmee al rond?'

Ik vertel hem dat ik al jaren zoveel uitstralingspijn heb in mijn billen, mijn buik en mijn onderrug dat ik er eigenlijk geen aandacht aan geschonken hèb.

'Je moet het laten nakijken en dan zal de chirurg je voorlopig allicht een breukband voorschrijven, want zo kan je niet verder.'

'Als ik maar niet meteen moet geopereerd worden, ik zit vol-op in die documentaire. En de reis naar Amerika, kan dat dan nog wel?'

'Laat ze daarover maar in het Academisch Ziekenhuis beslis-sen.'

><

De operatie kan uitgesteld worden, maar dan op eigen risico. Alles is op eigen risico, denk ik: leven, bewegen, verliefd worden, een gat in je buikvlies. Je doet het of krijgt het, op eigen risico; je had maar niet moeten bestaan!

Even later loop ik met een breukband rond, een onding dat me bij iedere beweging eraan herinnert dat de boel op instorten staat. Verdomme! Ik zal die uitzending maken, wat het me ook mag kosten.

Het is middag. Ik rij naar Herentals, waar Paul woont, een Schot die na zijn huwelijk met Inge hier in België verzeild geraakte en nu niet meer weg kan, door CVS: *'Just too tired!'* Aan de telefoon had hij een kort relaas gegeven van wat hem overkomen was; dat hij al vijftien jaar CVS had en het grondig beu was om nog langer te zitten niksen en te zwijgen; dat hij zijn verhaal voor de camera kwijt wou, helemaal – *'Whatever it takes'*. Hij klonk gelukkig niet depressief en had er terloops nog aan toegevoegd dat hij ook teksten zou willen schrijven of scenario's; dat hij een sketch had afgewerkt voor de BBC-komiek Rob Nesmeth en of ik die misschien eens zou willen lezen?

'Een probeersel,' zei hij, 'dat weinig voorstelt.'

Ik rij de stad binnen en merk dat de breukband is losgekomen. Ik moet even halt houden om die lullige kuisheidsgordel weer op zijn plaats te krijgen. Daarvoor moet ik wel mijn broek uittrekken. De zon schijnt en het is warm, maar dat is nog geen argument om je in een bebouwde kom uit te kleden. Twee straten verder, in het toilet van een café, span ik mezelf weer in het gareel. Ik reken de cola af waar ik nauwelijks van gedronken heb. De cafébaas heeft me herkend en bekijkt me een tikje argwanend.

'Alles kits?'

'Als nooit tevoren,' zeg ik en stap op. Ik wil Paul niet laten wachten, dat kost hem moeite – nodeloze moeite, en dat zou ik zelf ook erg vinden.

Paul is groot en knap en afgezien van de wazige blik in zijn bloeddoorlopen ogen, heeft hij een perfect en ongeschonden lichaam: de volmaakte man. Hij merkt dat ik iets te lang naar hem kijk en nog voor ik iets kan zeggen, verontschuldigt hij zich met een achteloos gebaar voor de huiduitslag op zijn gezicht.

'Door de ziekte,' zegt hij, en als een vreemdsoortige begroeting, wijs ik hem op mijn beurt op de rode vlekken rond mijn eigen neus en op mijn voorhoofd. Ik zeg hem lachend dat we van dezelfde bejaardenbond zijn. Het ijs is gebroken; hij grijnst een beetje vermoeid en kijkt me daarna aan met een bereidwillige blik van: 'Ik ben klaar, je kan beginnen.'

Maar ik vind niet meteen het juiste spoor, dat gebeurt de laatste tijd alsmaar vaker. De woorden willen niet komen en ik begin te stotteren en stuntel dat hij inderdaad het lijf van een atleet heeft. Hij glundert. Ik vind het opmerkelijk en prettig dat hij een complimentje nog kan aanvaarden. Na zoveel fysieke nederlagen, hebben wij – slome ridders van de vermoeiende tafel – meestal geen oog meer voor ons eigen lichaam, want onze trots zijn we intussen allang kwijt. Hij heeft koffie gezet en vraagt of ik niet eerst wat wil rusten, en of ik straks nog wel met de auto thuis geraak. Ik antwoord dat ik er nog altijd niet zo erg aan toe ben als hij en zovele anderen en dat ik me voorlopig nog genoeg kan oppeppen wanneer ik achter het stuur ga zitten. Ik begin meteen met de ergste vraag: 'Sinds wanneer gaat het niet meer?'

'Toen ik 21 was, nu veertien jaar geleden, werd ik ziek.'

Hij zucht diep en aarzelt, alsof hij terugdeinst voor de herinnering. Ik ben bang dat ik te overhaastig begonnen ben, maar dan – hij spreekt nu traag en omzichtig – beschrijft hij wat er gebeurde. Hij zat op de kunstschool in Glasgow en op een vrije middag, toen hij met enkele vrienden in een café een partijtje *Darts* speelde – 'vogelepik' zegt hij met een grappig accent – voelde hij zich opeens verschrikkelijk duizelig en misselijk worden. De vloer kantelde en hij draaide weg, ineengeperst door een ondraaglijk gewicht op zijn schouders, alsof de kroeg onder een wervelende wolk van donker lood op hem was neergestort. Hij wankelde, zocht een houvast, maar alles begon te tollen en hij werd tegen de grond gesmakt. Hij kon niet meer recht geraken; alles was weg, behalve het zwart voor zijn ogen. Zijn vrienden begrepen niet wat

er gaande was. Hij was een sportman, dacht er zelfs aan om prof-
voetballer te worden, en nu zakte hij hier zomaar in elkaar, hijgend van de uitputting en drijfnat van de angst. Paul voelde zijn
hart openscheuren, hij dacht dat het met hem gedaan was. Hij
vond het ongelooflijk stom dat hij in een café zou sterven onder
een rondtollend *Darts*-bord – nog voor hij zijn eerste tentoonstel-
ling had gehouden, nog voor hij echt had geleefd.

'Ik had geen greintje kracht meer, een natte vod, beschaamd
over wat mijn vrienden wel van me zouden denken. Ik wou weg.'

Hoelang hij erover deed om thuis te geraken, weet hij niet
meer, maar hij kon zijn ouders niet zeggen wat er met hem gebeurd was. Doodziek kroop hij in bed.

De draaiingen bleven hem dagenlang kwellen en hij durfde
zijn kop nog nauwelijks te bewegen. Hij kon helemaal niks meer.
Uitgeteld, doodsbang voor wat hij voelde en voor wat zou kunnen terugkomen – misschien nog veel erger? – klampte hij zich
vast aan het vage verdict van de huisarts: een virale infectie, waarschijnlijk.

De weken gingen voorbij en geen enkel geneesmiddel hielp.
Hij was nooit ziek geweest en kon dan ook niet begrijpen waarom
hij niet beter werd, waarom die ellendige vermoeidheid en het
gewicht op zijn lijf hem niet meer loslieten. Meer dan een maand
vocht hij tevergeefs om uit zijn bed te geraken. De scherpe, druk-
kende pijn in zijn ledematen en in zijn rug verergerde en hij kon
geen rust meer vinden door het aanhoudend kloppen in zijn kop.
Sedertdien heeft hij zijn evenwicht nooit meer teruggevonden.

'*It was never the same anymore.*'

Hij probeerde te leven met een ziekte waarvoor niemand een
naam had, die niemand kende, die niet bestond. Hij vocht met
zijn trots en met een jong, sterk lichaam dat nergens meer goed
voor was. Zijn vader trapte nog meer op zijn ziel door te zeggen
dat een Schot zich nooit laat gaan; zijn moeder kon hem niet
helpen. Hij was troosteloos, sloot zich op in zijn kamer en huilde
de ziel uit zijn lijf. Toen hij zich maanden later wat beter voelde,
probeerde hij werk te vinden. Hij nam allerlei klusjes aan, maar

wat hij ook deed of ondernam, de ziekte sloeg hem telkens terug naar 'af'.

Hij snakt nu naar adem. Ik vraag of we het vervolg van het gesprek niet beter even uitstellen. Maar hij wil verder, eruit geraken en hij duikt opnieuw in zijn uitputtend verhaal, als een kanaalzwemmer die niet weet in welke zee hij sprong en nu niets vermoedend op weg is naar Amerika.

Hij bleef volhouden, hij wou niet aanvaarden wat iedere dag opnieuw tòch gebeurde. Hij zou zijn oude kracht weer opbouwen met powertraining en bergtochten in de Highlands. Maar de kleinste heuvels waren nog te hoog voor zijn overmoed. Hij probeerde opnieuw te voetballen, maar hij was nog enkel een schaduw van zichzelf, een schaduw waarover hij om de haverklap struikelde. Zijn medespelers begrepen niet waarom hij zo vaak zijn veters strikte en iedere bal die hij toegespeeld kreeg ook meteen weer doorstuurde, lukraak en zonder doel. Hij raakte niet meer vooruit, kon niet meer lopen en haakte tenslotte af – hij kon zijn verbijsterde clubgenoten en kameraden niet zeggen waarom. Meer en meer sloot hij zich op, hij kwam niet meer aan de telefoon en omdat hij met niemand over zijn totale onvermogen kon praten, werd hij schizofreen door onmogelijke smoesjes en onhoudbare leugens.

Ik krijg het koud van zijn huiveringwekkende eerlijkheid. Hij is nog altijd vertwijfeld en rilt bij de gedachte aan de ijselijke eenzaamheid van die eerste, onbegrijpelijke maanden. Ik zie hoe hij vecht, omdat hij opnieuw wordt meegesleurd door de koude Golfstroom van de wanhoop en dreigt te verdrinken in een Stille Oceaan van schaamte en onbegrip.

Enkele maanden later probeerde hij het opnieuw, hij moest en zou zijn brood zelf verdienen. Hij trok weg uit Glasgow en werd koksmaatje in een hotel waar heel wat buitenlandse toeristen kwamen. Daar ontmoette hij ook Inge. Ze hield van Schotland en werd verliefd op Paul. Hij vertelde haar over zijn onverklaarbare ziekte en de eeuwige vermoeidheid, over de onmogelijkheid om een fatsoenlijke job te kunnen doen. Toch koos ze ervoor om zijn vrouw te worden. Ze dacht dat hij ongetwijfeld zou genezen, of tenminste beter worden, als ze voor altijd samen zouden zijn. Ze trouwden en gingen in België wonen – hier was haar familie, en Inge zou hier bovendien gemakkelijker een vast inkomen kunnen vinden. Paul was te trots om thuis te blijven zitten, hij wou zijn vrouw helpen om ook een deel van de kost te verdienen. Maar hij kon geen enkele job langer dan een paar maanden vasthouden, iedere keer opnieuw werd hij door dezelfde lethargische uitputting overvallen en naar huis gestuurd.

Intussen zijn al meer dan zeven jaar verstreken; al zolang kan hij niet meer werken. Hij zegt dat hij nog enkel goed is om hun dochtertje Lois aan de kleuterschool op te halen en daarna een paar uur de pappie-babysit te zijn, tot Inge thuis komt van haar vroege ochtendshift in een autofabriek.

Hij zakt nog dieper in zijn zetel, ik zie hoe hij zich moeizaam overeind probeert te houden. Zijn verhaal was genadeloos eerlijk, zijn gevecht – voor iedereen te hard – was nutteloos. Ik bewonder hem en probeer hem tot rust te brengen, want erger dan zijn lijf, is nu ook zijn geest leeggelopen, verzopen in zijn eigen zweet. Hij slikt en zegt dat hij met niemand hierover kon praten, dat hij blij is dat ik de ziekte ken en tijd voor hem wil maken, dat ik hem begrijp. Ik probeer zijn somber relaas even te doorbreken en opper dat we later wellicht foto's zullen nodig hebben om tussen de interviewfragmenten in te lassen. Hij laat me hun trouwalbum zien en enkele afdrukken van toen hij ook nog fotomodel was – dus toch. Het zijn stijlvolle zwartwitfoto's die hij me toont: een ontwapenende mannelijkheid, zonder pose, natuurlijk en aantrekkelijk, maar overal met die doffe blik in zijn ogen.

'Misschien krijg ik later nog een kans,' zegt hij.

'Ongetwijfeld,' zeg ik, maar het klinkt als verraad, gemakkelijk en voorbarig. Hij noch ik weten of we ooit zullen genezen. Hij voelt wat ik denk, komt traag uit zijn fauteuil en neemt een boek uit de kast.

'Mijn dagboek,' zegt hij.' Inge weet het liggen, maar ze durft het niet lezen. Je mag het meenemen, lees jij het maar.'

Ik ben nieuwsgierig – het zou ongetwijfeld een meerwaarde voor het programma kunnen zijn – maar ik huiver van mijn journalistieke vraatzucht en zeg hem dat uitgeschreven bekentenissen toch wel heel intiem zijn.

'Wat kan ik voor jou verbergen, wat je niet zelf al weet?' Hij reikt me het dagboek aan en ik blader er even in. Een handschrift dat scheef staat van de pijn; letters die van het blad tuimelen en overvloeien in eigenhandig geschilderde prenten: ontroerend naïef soms, maar meestal bitsig en chagrijnig; jaartallen en wapenfeiten uit de kroniek van een verloren Schotland; cursieve, versierde kapitalen als een prachtig begin voor een blok bittere ellende, een duister gebedenboek van een getormenteerde mens.

'Dank je, Paul.'

Ik weet niet wat ik nog meer kan zeggen.

Later op de autosnelweg, op het parkeerterrein van een benzinestation, haal ik zijn dagboek nog even boven. Twee gekruiste degens, een jaartal en een tekst over wapenbroeders en vriendschap. Ik kijk naar de twee degens en hoor twee liedjes door elkaar: 'Brothers in arms' van Dire Straits en 'He was my brother' van Simon and Garfunkel. Paul en ik, we zouden twee vrienden kunnen zijn.

>‹

Pa keek even naar moeke. Ze hadden niets gevraagd of gezegd, toen de ronselaar in sneltempo en bijna ongeïnteresseerd de kwaliteiten van zijn school had voorgesteld. Het leek eigenlijk alsof andere mensen over ons lot beslisten. Mijn jongere broer, Jos en ik gingen dus op kostschool bij de minderbroeders in Heusden.

'En het is voor ons geen enkel probleem dat uw zoon Luk de 5de Latijnse nog eens overdoet, hij is tenslotte nog maar dertien.'

De bruine pater die later 'pater Econoom' bleek te heten, aarzelde niet lang en noteerde resoluut onze namen in een klein, beduimeld boekje. Daarna trok de lijvige minderbroeder de hagelwitte koord rond zijn meerdere buik een beetje strakker, dronk in één teug zijn borrel 'Smeets' leeg en klakte even met zijn tong, waardoor de zaak helemaal beklonken was.

Toen we met Allerheiligen de eerste keer naar huis mochten, zag ik dat het ook voor moeke lange weken waren geweest. Iedere middag werden we volgepropt met de lekkerste hapjes die ze in haar eigenhandig geschreven receptenboek kon vinden. Maar ook gewone witte stukjes kip, een lapje vlees zonder vet, of een extra aardappelkroket, kwamen nu zonder omwegen en tot ergernis van Jan en Gie op onze borden terecht.

'Voor dié van Heusden,' zei moeke en daarmee waren Jos en ik voortaan een apart stuk van de familie: twee verre, verwende neefjes, die af en toe eens op bezoek kwamen en met wie je zeker geen ruzie mocht maken.

Die eerste korte vakantie was heerlijk en beklemmend tegelijk. Er was opeens geen allesziende surveillant meer; geen studie of verplichte leestijden en ik genoot ervan om nog eens door het Wissebos te dolen of naar de vertrouwde plekjes in de wijk te fietsen. Het zou een zorgeloze week worden, al kon ik de nakende dreiging van een nieuw trimester niet vergeten. Ik besloot om naar Rommeke te gaan, in de lagere school was hij mijn beste vriend geweest. Later toen ik naar het college in de stad ging, was ik hem helemaal uit het oog verloren, maar in Heusden zag ik hem opeens terug. Zijn broer zat in het seminarie en zijn moeder, een diepgelovige, oudere vrouw, wou dat Rommeke ook die 'levensstaat' zou kiezen en een bruine pater zou worden. Die eerste schooldag in september, nog voor de lessen begonnen, dwaalde hij een beetje zielig over de speelplaats – hij was hier nieuw, net zoals Jos en ik. Hij zag me en er kwam een weemoedige glimlach over zijn lippen, en zonder ook maar iets te zeggen bleef hij de ganse speeltijd in mijn buurt. De schoolbel ging; hij kwam achter me staan; namen en klassen werden afgeroepen. Toen hij aan de beurt was, fluisterde hij dreigend en geheimzinnig in mijn oor: 'Ik blijf hier niet.'

's Middags zat hij in de eetzaal naast me. Toen de soepborden afgeruimd werden, haalde hij onopvallend een tube uit de binnenzak van zijn jas; hij gluurde naar de surveillant en ik zag hoe hij stiekem, vanonder zijn arm, een kwak mayonaise op zijn aardappelen spoot. Dat was niet alleen merkwaardig, maar ook ten strengste verboden.

'Ze verwaarlozen ons hier,' zei Rommeke, terwijl de andere jongens aan tafel hem uitlachten en hem 'moederskindje' noemden. Hij kreeg een vuurrood hoofd en verweet me dat ik hem 'als vriend ook verwaarloosd had' – ik vond dat toen een vreemde uitdrukking, maar door de tranen in zijn ogen begreep ik heel goed wat hij bedoelde.

Rommeke woonde over de steenweg, aan de andere kant van de wijk. Hij was, voor we op kostschool waren, net zoals Jan en ik, misdienaar geweest in onze parochie. Meestal 'dienden' we samen de vroegmis van pastoorke Dewit. Pastoorke Dewit was hoogbejaard en woonde met zijn nog oudere huishoudster in een vervallen kasteeltje dat achter een klein park verscholen lag, niet ver van de kerk. Hij was een notoir wetenschapper – dat wist ik pas toen ik al op de universiteit zat, door een artikel in *Time Magazine*. Hij bleek ook een eminent chemicus te zijn die in de oude stallingen naast zijn woning allerlei onmogelijke scheikundige uitvindingen deed. Later zou de helft van zijn schamel laboratorium afbranden na een opzienbarende ontploffing, waardoor de merkwaardige geleerde ook nog de lokale pers haalde. De stokoude priester was beminnelijk, maar ook verstrooid. Hij had twee groezelige hondjes: Billeke en Bolleke, waarmee hij op alle ogenblikken van de dag door de straten van de parochie dwaalde. Meestal wist hij niet wanneer de tijd gekomen was voor een wandeling of voor de vroegmis, die hij echter – als zijn hoofd tenminste wat mee wou – nooit verzuimde. De brave man 'mankeerde' – dat was absoluut geen geheim, maar voor ons was het soms wel vervelend. Vaak stond hij hulpeloos met zijn twee hondjes in de sacristie rond te drentelen, dan brachten we Billeke en Bolleke eerst terug naar 'het kasteeltje' en begon de vroegmis wat later – pastoorke Dewit zei altijd dat er toch geen volk kwam. Hij leed ook aan reuma en als we hem hielpen met het kazuifel over zijn vuile, grijsgele haren te trekken, stopte hij ons steevast een overjaars hondenkoekje in de mond, waardoor we eigenlijk niet meer 'te communie' mochten gaan. Het leek wel alsof hij van een andere planetair stelsel kwam, hij stond helemaal buiten de tijd en deed ons aan Professor Zonnebloem denken. Hoe sympathiek we hem ook vonden, toch waren we een beetje vies van zijn kleverige soutane en van de zwarte randen onder zijn lange vingernagels, vooral wanneer hij zijn 'koekjes' weer eens in onze mond probeerde te duwen. Pastoorke Dewit had slechte ogen en daarom las hij zijn Latijn in een speciale kerkmissaal, met koeien van letters – het was overigens altijd dezelfde mis. Daardoor konden we, geknield achter de goede herder, alle gebeden meelezen tot we die uiteindelijk helemaal uit het hoofd kenden. Op het hoogtepunt van de consecratie, wanneer we bij de kniebuiging voor het Heilig Sacrament zijn kazuifel moesten optillen, liet de oude man klokvast een wind ontsnappen. De eerste keer lagen Rommeke en ik plat van het gieren. Maar hij hield voet bij stuk, keer op keer, en als zijn overdonderend 'toemaatje' niet kwam, wisten we dat hij ziek was. Na verloop van tijd, kenden we zijn spijsvertering zo goed, dat we er onbewogen bij bleven en het ritueel zonder verpinken ondergingen.

Rommeke was blij toen ik aanbelde. Hij had een gemillimeterd broske laten knippen – 'omdat het vakantie is,' zei hij.

We besloten om samen een kruisboog te maken. Net als ik hield hij van geschiedenis en van verhalen over ridders en kastelen. Zijn moeder had veel boeken en daardoor kende hij heel wat historische figuren, waarvan ik nog nooit had gehoord. Met de hulp van pa hadden we in amper twee dagen tijd een schietklaar werkstuk in handen: volledig van hout gemaakt, tot zelfs het vernuftig kantelmechanisme van de trekker toe. Rommeke nam de afgewerkte kruisboog in zijn handen en rook aan het vers geschaafde hout. Hij grijnsde een beetje heimelijk en keek daarna zelfbewust door het raam van het werkhuis, alsof de hele wereld op hem wachtte. Ik schrok van die vreemde blik in zijn ogen, van de – voor hem onnatuurlijke – doortastendheid, alsof het zware wapen hem ouder had gemaakt, mannelijker en vastberaden.

Pa had het blijkbaar ook gezien want hij zei dat we toch voorzichtig moesten zijn. Rommeke glimlachte. Als een ervaren schutter legde hij de boog over zijn schouder en met opgeheven hoofd stak hij de straat over.

'Ik ben de wapenknecht van Keizer Karel,' zei hij.

We zouden het tuig in zijn achtertuin uittesten; zijn moeder was toch niet thuis. Tot mijn grote verbijstering en zonder ook maar iets te zeggen, spijkerde hij zijn Latijnse Grammatica tegen de deur van het tuinhok.

'Nu zullen we eens zien,' zei hij manmoedig en hij spande de boogpees aan, zo strak hij kon.

Hij schoof het vogelpikpijltje dat we bij 'Leyssens' hadden gekocht in de gleuf en legde aan. Hij kneep zijn ogen dicht en zag er nu echt gevaarlijk uit, trefzeker, zonder angst en tot alles in staat, klaar voor de allerlaatste afrekening: als een jonge krijger die onbewogen zijn jeugd onder schot hield. Toen hij de zware trekker overhaalde, schreeuwde hij het uit. Het was een huive-ringwekkende kreet die oversloeg in een verscheurend gehuil van razernij en jarenlange frustratie. De pijl schoot vooruit en boorde zich door naamvallen en vervoegingen heen, dwars door de deur. Rommeke stond op zijn benen te trillen, keek naar de ravage die hij had aangericht en zei:

'Voilà, ik ga niet meer op kostschool!'

➤◄

Sam zal zijn examens op de kunsthumaniora mogen vergeten, hij heeft klierkoorts, mononucleose, en tot overmaat van ramp hebben we ook nog schilders in huis. Een dag na het feest van de arbeid hebben ze de bovenverdieping ingepalmd. Wat eerst een aanvaardbare klus leek, wordt blijkbaar een halve verbouwing, want de kalk tegen de muren en de plafonds is dood en bros en klinkt als gebarsten porselein als je ertegen klopt. Toen het bestek een paar maanden eerder werd opgemaakt – 'Hier en daar een scheur wegkrabben en opvullen, natuurlijk.' – zagen we niet dat het plakwerk zowat overal loszat.

'Daarop een laagje verf zetten is geld wegsmijten,' had Sven gezegd. 'Je zou het kalkmoeheid kunnen noemen en ik vrees dat er hele stukken moeten afgekapt en opnieuw bepleisterd worden.'

Hij zou het wel weten zeker. Hij is nu al een paar jaar architect en het bureau waarvoor hij werkt, doet heel wat restauraties in oude boerderijen en herenhuizen – nu zelfs in het kasteel van Gaasbeek. Maar dit is geen kasteel, het is ons huis. En nog maar net afbetaald! Hoe moet dat verder? Wat zit er achter de kalk, hoe moe zijn de bakstenen? Zal ik de volgende jaren nog wel voltijds kunnen werken? Het is weer zo een wankeldag waarop ik alleen maar in paniekerige vragen kan denken. De traphal en de helft van alle kamers moeten hoe dan ook totaal vernieuwd worden, een flinke streep door de rekening. Het zij zo. Het huis is zestig jaar oud en zover ben ik nog lang niet, al durf ik dat vandaag wel weer betwijfelen.

'Een paar weken kamperen,' zegt An, 'maar daarna zal de oude slaapkamer van Kim een bibliotheek geworden zijn, jouw werkkamer die je nooit hebt gehad.'

Het vooruitzicht is aanlokkelijk, maar het aanhoudend breekwerk en de opeenvolgende, witte wolken stof die in de traphal naar beneden kolken, maken me wrevelig. Ik kan het niet meer hebben, het lijkt wel alsof ikzelf gesloopt word. Vanochtend hebben we de grote deuropening naar de hall hermetisch afgeplakt met doorzichtig plasticfolie, maar het poederstof blijft overal in de woonkamer ronddwarrelen. Ik doe of ik het niet zie en ik verschuil me achter de rugleuning van de leren sofa. Aan de overkant van het salontafeltje, op de rode canapé, ligt Sam – bleek en futloos. Hij slikt moeilijk, alsof hij zijn gezwollen klieren ook zou willen doorzwelgen. Even kijken we elkaar aan, hij kan het ook niet helpen en ik nog minder. Het bovenhuis wordt belegerd en we hebben onvoorwaardelijk de overgave getekend. Een plotse kwak van kalk en stof dondert op de trap en doet de folie ploffend opbollen – de stukadoors hebben boven blijkbaar een paar ramen opengezet. Sam kijkt heel even op, hij zucht. Het witte poeder ligt nu al op de Chinese bruidskast. Een nieuwe tochtvlaag zuigt door het huis en de folie flapt terug; weer een plof. Ik hoop dat de afscherming niet losgeraakt, net nu An boodschappen doet. Het huis is me helemaal vreemd geworden. Ik lig hier, moe en met sombere gedachten naast een zieke zoon, opgesloten in een reusachtige couveuse waar zopas de nucleaire winter is ingetreden: lawaai, vernieling en stofwolken alom. Hoe is het mogelijk dat ik nog zo weinig kan verdragen? Vroeger, in andere omstandigheden zou ik het gebeuren ongetwijfeld grappig gevonden hebben, een vrolijke anekdote voor een gezellig familiefeestje achteraf, maar nu ben ik bang van de kleinste verandering, laat staan een regelrechte afbraak.

'De dagen dat je een stuk van je leven uit handen moet geven en anderen over je lot beslissen, dat zijn de ergste,' had dokter De Meirleir gezegd.

><

1978. Ik was net dertig geworden. De dakgoten van ons huis waren versleten. Pa en mijn jongste broer Gie waren overgekomen om ze te helpen vernieuwen.

We stonden op drie ladders naast elkaar. Meer dan twintig meter hout en zink rond onze kleine driegevelvilla moest vervangen worden, nog voor de winter. Het was zwaar werk, maar ik hield ervan om mijn handen te gebruiken en vooral om allerlei dingen in elkaar te timmeren. Dat had ik vroeger al van pa afgekeken – met hout kon hij werkelijk alles. 's Avonds wanneer mijn werk op de radio erop zat of in het weekend, als ik even de tijd had, begon ik aan de keukentafel een meestal zelf opgelegd timmerwerkje uit te tekenen, en de daarvoor benodigde materialen te berekenen. Ik werd er rustig van. Wanneer ik daarna, volgens plan, een tuinhok of wat speelgoed voor de kinderen fabriceerde, was ik opgetogen en gelukkig zelfs. Als het jaren later ook nog altijd stevig en bruikbaar bleek te zijn, dan was de voldoening alleen maar groter.

'Als je iets maakt, moet je het ook deftig maken,' zei pa.

Voor ik dertig was durfde ik nog alles aanpakken, zelfs zware klussen waarvoor ik soms een ganse vakantie opofferde en bijna altijd de hulp van pa nodig had. Zo hadden we een paar jaar eerder, onder de woonkamer een ruime kelder uitgegraven, en het huis gaandeweg opnieuw gefundeerd: een huzarenstukje waarbij het advies van een bevriend mijningenieur goed van pas was gekomen.

'Een schop? Je weet toch wat een schop is?' riep opeens een hoge kinderstem van tussen de lijsterbessen, verder achter het huis.

Vanop mijn ladder zocht ik naar de kleine commandant in het 'boske'. Het was bijna donker en ik hoorde Sven opnieuw zijn zusje aanporren: dat ze toch wel ergens een schop kon vinden, zeker? Kim gaf een kort, boos antwoord dat verloren ging in het driftig klopwerk van pa en Gie die onderaan tegen de dakgoot de laatste draaglat vastspijkerden. Ik werd moe en klom van de ladder naar beneden. Pa en Gie volgden. Mijn vader voor een slok koffie; Gie voor een haastig gerolde sigaret. Ik was blij dat we even pauzeerden, ik kon nog amper volgen. We keken tevreden naar het geleverde werk en moesten lachen toen we Kim hoorden roepen: 'Sven, kom die schop maar zelf zoeken, want er bestaat geen schop!'

Van het ogenblik dat ze konden lopen, speelden de kinderen meer buiten dan binnen. Dat vonden ze niet alleen fijn, de buurt was ook heel veilig, want het huis lag op het einde van een doodlopende straat, tussen een paar woeste volkstuintjes, met overal rondom wild opschietend groen. Ondanks de nijdige herfstbuien van de laatste dagen, waren ze ook nu weer in het 'boske' bezig. Met hun vriendjes, de dubbele tweeling Rik en Wim en Ellen en Stef, hadden ze een nieuw onderaards kamp uitgegraven, groot genoeg ditmaal voor de zes leden van de Fox-club. Ik hoorde hoe ze elkaar richtlijnen en aanmoedigingen bleven toeroepen. De graafwerken waren nog lang niet voltooid.

Ook wij hadden nog heel wat te doen, maar ik kon niet meer zo goed mee. Die rare, onverklaarbare vermoeidheid was de laatste tijd weer geregeld teruggekomen. We waren nochtans ruimschoots over de helft geraakt. Met een beetje geluk zouden we morgen misschien wel rond zijn met de nieuwe binnenbekleding.

'En avant,' zei pa, en het klonk alsof er een stapel zink op mijn kop viel.

Ik kreeg te weinig lucht om opnieuw aan de slag te gaan. Mijn hart begon te bonzen, het bloed suisde tussen mijn oren en ik kon maar niet op adem komen.

'Waarom kuim je zo?' vroeg pa, die nu al boven op zijn ladder onder de dakgoot stond te wachten. 'En je zweet 'begot' alsof je moet bekomen van een zware basketbalmatch.'

De ladder was eindeloos lang. Ik raakte nauwelijks nog omhoog en bij de laatste treden moest ik met trillende handen mijn loodzware benen op de sporten tillen.

'Ik weet het niet pa, het gaat niet meer.'

Lopend en zittend in de dakgoten, hadden we vanochtend eerst de oude zinkbedding weggehaald en vervangen, en nu waren we al een paar uur aan de buitenbekleding begonnen. Dat alle werk nu altijd boven ons hoofd gebeurde, maakte de zaak er niet gemakkelijker op, het leek wel alsof er betonijzers in mijn armen staken. Ik hoorde dat ze al klaar waren met timmeren en ik moest mijn spijkers nog altijd in de draagbalken kloppen. Ik dacht: drie spijkers uit mijn broekzak halen, drie spijkers tussen mijn lippen en de hamer pakken.

Ik beet op de spijkers – drie spijkers met koppen, dacht ik. Ik werd draaierig en keek naar pa en Gie, maar ik zag dat ze al beneden stonden te wachten om de ladders weer een paar meter verder op te schuiven.

'Allé jong, je gaat ons hier toch niet laten staan tot nieuwjaar, zeker?' Pa had er geen flauw benul van dat hij wel eens gelijk kon krijgen.

Ik probeerde de hamer vanachter mijn broeksriem uit te trekken, maar ik had niet de minste kracht meer in mijn rechterhand. Ik probeerde het opnieuw – nu met mijn linker. Niks. Mijn armen vielen loodzwaar naast mijn lijf; ik begon te beven en hield me met mijn knieën tegen de ladder geprangd, bang om achterover te vallen. Het zweet gutste over mijn rug en ik moest naar lucht happen – de koperen nageltjes slipten van tussen mijn lippen, tinkelden nog even op de aluminiumladder en vielen spoorloos tussen de cotoneasterstruiken tegen de gevel.

'Zo gaat het niet verder,' riep pa, 'zorg maar dat je morgen fatsoenlijk uitgerust bent.'

>‹<

I k zit alleen in de wachtkamer van Leo en staar voor me uit.
'In mei leggen alle vogels een ei, en in mij zit er een breukbal,' denk ik. Het is vrijdagavond en merkwaardig stil in het appartementsgebouw – iedereen is naar zee vertrokken, vermoed ik. In mijn hoofd begint er iets te rommelen. Ben ik hypergevoelig en extra lucide, of komt er weer een hallucinatie? De zo vertrouwde wachtzaal lijkt me vreemd, heeft ogenschijnlijk andere afmetingen gekregen, een nieuwe kleur misschien? Het ligt beslist aan mij. Ik probeer rustig te ademen en begin de vloertegels te tellen.

Voor Leo hier zijn tweede kabinet installeerde, was dit de slaapkamer van een 'beter' appartement in een 'betere' torenflat. De inbouwkast met vier krullerige deurlijsten, netjes grijs overschilderd, staat er trouwens nog altijd. Wie heeft hier ooit gewoond, geleefd, geslapen? Er zitten vandaag geen sleutels op de kastdeuren van Leo. Heeft Bernadette, zijn vrouw, de liggers vorige week nog volgepropt met oud kinderspeelgoed en spulletjes die in Dilbeek geen hoek of kast meer vonden, daarna de deuren afgesloten en de sleutels mee naar huis genomen? Waarom ben ik vandaag, na zoveel 'bezoekjaren', opeens zo nieuwsgierig? Ik betrap me er de laatste tijd meer en meer op dat ik erg benieuwd ben naar volkomen onbelangrijke details uit het leven van andere, meestal totaal onbekende mensen. 's Nachts urenlang wakker liggen met totaal nutteloze hersenkronkels, overdag waanbeelden en nachtmerries: het zijn allemaal bekende 'cognitieve stoornissen', niks nieuws eigenlijk. Ik ben toch al gek. Ik kijk dwars door de eerste kastdeur. Er hangen nog kleren: achtergelaten burgerpakken van een gepensioneerd inspecteur van de RVS (het insigne steekt nog in de jaszak); op het rek erboven een stapel verkleurde, satijnen pyjama's en overjaars, muf ruikend beddengoed met een onduidelijk, snel geborduurd bloemenmotief; daarnaast – dan tòch? – enkele witgesteven doktersjassen en dozen vol wegwerpverband en lege, plastieken spuitjes en pillendozen; helemaal onderaan de eerste dokterstas van Leo (ik herken ze meteen).

Ik bekijk de zes stijve, deftige salonstoelen. Ze staan rond een ondefinieerbaar, laag bijzettafeltje met allerlei tijdschriften. De stoelen dateren van een ander tijdperk, komen uit een andere kamer: 'Wil je nog een "cognacske" of een kopje koffie of zullen we meteen naar "den Daring" gaan kijken?'

Leo specialiseerde zich in sportgeneeskunde, hij is nog altijd de officiële clubdokter van Racing White Daring Molenbeek. Ik heb pijn in mijn lies en kijk naar de poster van het stoere RWDM, met vier duimspijkers vastgeprikt op de muur recht tegenover me. Vanuit de living, achter de muurkast – nu het kabinet van Leo – kan je tussen de bomen trouwens het stadion zien liggen, aan de overkant van de dubbele rijweg: de weg naar Koekelberg, naar de vroegere viaduct, nu de Leopold II-tunnel. Het is de heenweg naar mijn werk op de Reyerslaan en ook de weg terug naar huis. Het is de demarcatielijn in mijn hoofd, de scheiding tussen ziek zijn en beter voelen, tussen thuisblijven en op weg gaan. Mijn breukriem schuift opzij en knelt. Er komen weer bizarre woorden in mijn kop die opeens een nieuwe, vreemde zin vormen: 'Als ik dit ongewenste koekoeksei niet wil breken, moet ik op mijn tellen passen en vooral niet verder springen dan mijn stok lang is.'

Dat denk ik, want de operatie is pas over een maand. De pijn zakt weer weg. De leren drukbobbel op de breukband – mijn 'riem onder het hart' – zit weer op zijn plaats, een ware steun: de Heer zij nogmaals geprezen. Nu hoor ik Leo. Achter de deur van zijn kabinet neemt hij afscheid van iemand die tegenpruttelt. Stilte. Leo die weer iets zegt, eerst nog zalvend, dan luider, tegen een vrouw, denk ik. Haar hoge, trieste stem klinkt zagerig. Ik voel medelijden opkomen. Voor wie? Mezelf? Waarvoor? Pijn? Wie is zij? Wat krijgt die vrouw nu te horen? Een pijnlijke diagnose, of alleen maar wat zalvende woorden, waarmee Leo – veel te vlug voor haar – weer afscheid moet nemen. Ze antwoordt heel bang. Kanker? Of is ze bang om straks weer alleen te zijn, zonder zijn goedmoedige, luisterende ogen? De vrouw komt buiten en blijkt een oude man in een versleten joggingpak te zijn. Hij lijkt op Jack Nicholson in het jaar 2030: geniaal zielig en compleet opgeleefd, maar nog altijd met een woeste blik en verongelijkt – over zichzelf vooral, en het-niet-meer-meekunnen. De man kan of wil de uitgang niet vinden. *One flew over the cuckoo's nest.* Leo wijst hem nu letterlijk de deur, zij het nadrukkelijk voorzichtig en pijnlijk beleefd. De oude 'training' sloft onwezenlijk langzaam naar buiten, terug naar beneden, terug naar de demarcatielijn tussen hem en zijn dokter, een hinderlijke slowmotion van verdriet dat even terzijde moet geschoven worden.

'Tot volgende week!'

Stilte. Deur langzaam dicht. Leo zucht. Man buiten.

Ik heb alles geregistreerd en sta al recht nog voor Leo me goed en wel gezien heeft: de aanmatigende gewoonte van een abonnee. Zijn ogen staan moe. Weer een slowmotion. We geven elkaar zwijgzaam een hand, alsof we ons opeens herinneren wat ons allemaal in een gemeenschappelijk verleden overkomen is, als twee oud-strijders die liever een andere oorlog hadden overleefd. We gaan naar binnen.

Ik neem de linkse stoel, altijd de linkse stoel – het dichtst bij de deur? Hij zit al. Ik ga nu ook zitten en de breukband schuift weer omhoog – dat is nieuw, hier tenminste in zijn kabinet. Leo is heel moe, hij wacht, naar voren leunend, wie vandaag het ceremonieel zal openen.

'Ik draag dus die breukband, Leo.'

'Goed,' zegt hij, 'nog een maand opletten en dan ben je daar ook weer van af en vooral geen zware dingen tillen, ook niet de eerste weken na de operatie.'

Ik knik, maar dat optillen kan ik hoe dan ook toch niet meer. Ik zwijg.

Leo gaat verder: 'En ja... dan...is het dus... opnieuw voor die gewrichten en die spieren...zeker? Voor die pijn in je rug en je nek en zo...?'

Hij zwijgt, hij heeft zijn zin niet afgemaakt. Nog nooit heeft hij de volledige chronische 'waslijst' in zijn geheel overlopen. Ik denk: tactische overwegingen van een goede huisarts.

'Ik heb al een tijdje geen hartkloppingen meer,' zeg ik, 'dan mag ik nu de Isoptine achterwege laten, zeker?'

'Ja...maar je kan toch best altijd een paar tabletten op zak hebben, je weet maar nooit.'

Hij neemt bovenop de stapel links van hem een verslag van het Academisch Ziekenhuis.

'O ja, ik heb intussen van het ziekenhuis ook de resultaten van het laatste onderzoek gekregen, voor die keel dus, en dat hoesten. Ze hebben niks gevonden, alles is negatief: geen allergie, geen tbc, nergens sporen op de longen, alleen die klieren, natuurlijk.'

Ik ken de diagnose eigenlijk al. Ze werd meteen na het onderzoek, slijmvrij en proper geformuleerd door een vriendelijke longarts op Pneumologie – een voor mij, zeer overzichtelijke afdeling waar ik, tot dan toe nog nooit was geweest. Hier later nog eens komen voor een vlotte tbc-behandeling lijkt me wel wat, dacht ik, omdat er weer eens niks gevonden was.

'Er is dus geen aanwijsbare oorzaak gevonden, buiten je chronische vermoeidheid, natuurlijk.'

Leo herhaalt zichzelf en zegt wat ik eigenlijk al wist van professor De Meirleir. Waarom zit ik hier in godsnaam? Omdat ik Leo nodig heb, al was het maar om de stand van zaken te overlopen, jaar na jaar.

'De oorzaak van die constante irritatie van je keel blijft dus tamelijk onduidelijk, tenzij natuurlijk...en dat is waarschijnlijk het ganse probleem, dat het slijm een reactie is op die voortdurend gezwollen klieren...'

'Een van de CVS-symptomen,' zeg ik droogweg. 'Maar zovéél slijm?'

Hij zwijgt. Ik zie hoe hij heel even in zijn bureaustoel van houding verandert; hij gaat rechtkomen; hij zal iets uit de kast halen; nee, hij wil me onderzoeken. Ik zit al op het ijzeren draaikrukje bij het grote raam. De wegwerpspatel kietelt mijn keelgaten en gaat dan de vuilnisbak in. Hoelang zal het nog duren voor we uiteindelijk ook de ideale wegwerpziekte hebben uitgevonden?

'Tja, die keelholte ziet inderdaad nog altijd rood.' Zijn grote vingers tasten nu licht knijpend onder mijn kin. 'Doet dat pijn?'

'Nauwelijks,' zeg ik. 'De keelpijn is helemaal niet hinderlijk, maar het zijn die eeuwige, smerige slijmvlokken. Ik moet ze voortdurend weghoesten en dat geschraap en gerochel is gewoon weerzinwekkend, vooral als je met andere mensen staat te praten. Vroeger vond ik dat nog veel erger, omdat ik toen ook nog "rechtstreeks op antenne" moest komen. Dat is gelukkig, verleden tijd! Nu ja "gelukkig"?'

'Wel,' zegt Leo, alsof hij dat laatste niet hoorde, 'je gelooft het misschien niet, maar door die aanhoudende hoest heb je misschien ook wel je liesbreuk gekregen.'

Krijg de klieren, denk ik en ik vraag hem: 'Kan een gescheurde lies ook nog op andere plaatsen scheuren?'

Leo lacht even. Einde van de keel. De bloeddruk is vrij goed, een beetje te laag. Terug naar de stoel, de linkse. Leo schakelt moeiteloos over.

'En dan...hoe zit het eigenlijk met de nieuwe kinesiste?'

'Soms is het een ware verlichting,' zeg ik, 'maar lang niet altijd.'

Ik was al aan mijn vierde kinesist toe en ik vreesde dat de voorzichtige massage van de jonge Kristel òòk stilaan 'onbegonnen werk' was geworden. Het hielp wel even, maar dan ook maar heel even. Ze mocht me, op gevaar van een altijd op de loer liggende infectie weliswaar, ieder uur van de dag blijven masseren – haar dunne vingers, klein en zalig – maar na 60 beurten haakt ieder ziekenfonds onverbiddelijk af. En wie zal de rekening betalen, als ik na deze laatste documentaire misschien niet meer zal kunnen werken?

'Wanneer zijn we ook weer precies begonnen met die kiné?' vraagt Leo, terwijl hij nog vlug iets op mijn medische fiche kribbelt. Ik zie een eindeloze reeks data onder elkaar staan, mijn steekkaart is vol. De honderddertiende beurt gratis?

'De eerste reeks kinesitherapie moet zowat tien jaar geleden begonnen zijn, denk ik, toen ook die artrose-stijfheid zo verergerde.'

De oude rug- en nekpijnen waren toen opeens veel scherper

geworden. Iedere ochtend moest ik me uit mijn bed rollen. Soms kroop ik een paar minuten op handen en knieën, omdat ik niet meer rechtop raakte en bang was om mijn vastgekoekte wervels te breken. Ik bewoog als een monster van Frankenstein, krakend in al mijn gewrichten. Na een paar uur had ik dan een enigszins plooibaar skelet, dat rechtop kon zitten, naar de garage kon lopen en – lomperik! – de gevallen autosleutels ook weer kon oprapen. Dan pas kon ik naar mijn werk rijden. Toen kwamen ook de eerste pijnstillers in huis en die hielpen wel, maar ik werd er nog suffer van, bovenop mijn niet-aflatende vermoeidheid. Ik voelde me als een oude, stijve mus die met opengesperde bek en met vleugels vol reuma door de dag fladderde. Iemand moest die betonnen ruwbouw vanbinnen toch zònder pillen en zònder irriterende ontstekingen kunnen ontmantelen? Radeloos dweilde ik de ganse Brusselse kinesitherapeutische periferie af, inclusief krachtige krakers en dure, oosterse osteopaten.

'Kristel doet het echt heel goed, maar ik wil er voorlopig toch mee ophouden, want ik wil geen nieuwe irritaties en ontstekingen meer riskeren. Het is een heel aangename massage, maar nadien doet het altijd te veel pijn.'

'Dan zullen we dat later misschien nog eens proberen. Intussen zullen we Dafalgan Codeïne en Voltaren eens afwisselen met Contramal en Tilcotil, want op de lange duur,' – hij zwijgt iets te lang – 'zullen de neveneffecten toch beginnen doorwegen.'

Andere pijnstillers: andere neveneffecten, denk ik. Maar ik zeg: 'Goed, Leo,' hoewel mijn chronisch nukkigheidssyndroom blijft doorzeuren dat ik er niks 'goeds' in zie. Ik hou mijn mond.

Leo zegt dat hij mijn maag en mijn nieren alleen maar wil helpen. Hij kan en blijft nog vooruitdenken, voor mij, voor later, voor de jaren na een eventuele, definitieve genezing – in Lourdes, wellicht.

'Zullen we dat dan maar eens proberen?'

'Zeker, Leo.'

We hebben al zolang een stilzwijgende afspraak – een werkzame gebruiksaanwijzing voor 'dokter met moeilijke patiënt' –

om, wanneer ik maar 'gewoon' moe ben en niet helemaal aan de grond zit, niet nodeloos 'de ziekte' in vraag te stellen. Vandaag is dat het geval en bovendien, ik ken Leo nu al jaren en beschouw hem als mijn vriend. Bij iedere consultatie probeer ik vooral niet te vergeten dat hij nog een eeuwigheid naar mijn stereotiepe op-rispingen zal mogen luisteren. Op de dagen echter dat ik volledig onderuit ga, is onze ongeschreven afspraak geen probleem, want dan komt Leo aan huis, en dan is mijn loden draaikop niet in staat om 'aansprakelijk' te reageren. Dan zwijg ik doorgaans in alle ta-len die ik ken, verschans in mijn versterkte burcht. Eigenlijk wil ik dan vooral dat hij zo vlug mogelijk de deur uit is. Ik heb of vind dan toch te weinig woorden om zinnige praat te vertellen. Bij het afscheid stotter ik dan maar wat, wegens moeilijke zinnen en nog moeilijker medeklinkers. Zoals die onmogelijke laatste keer, bij die opkomende tachycardie, toen ik hem de hand drukte en sim-pelweg zei: 'Bedankt Beo...als ik me veter voel... kom ik nog wel eens naar je bonsais zijken .'

Vandaag voel ik me dus beter, 'gewoon vermoeid', bijna goed. Er zitten trouwens heel wat 'positieve' ideeën in mijn kop, en ter-wijl hij de nieuwe wondermiddelen tegen de pijn voorschrijft, wil ik hem mijn hoopgevende gedachten ook vertellen. Dat helpt om de eerstvolgende inzinking weer beter aan te kunnen. Ik formu-leer in mijn hoofd een voor ons beiden hoopgevende nabespre-king van de voorbije weken: een filosofisch slotwoord dat ik in 'betere' dagen ook zelf wil declameren aan het einde van iedere consultatie. Door die enkele zinnen uit te spreken, lijkt het alsof ik mijn eigen leven toch nog een beetje in handen heb. Terwijl ik mijn keel schraap en begin te praten, stuikt mijn optimistisch slotwoord echter opeens in elkaar. Hoe kan dat nu ? Ik hoor hoe mijn stem overslaat en hard wordt van arrogantie en venijnig cynisme. In mijn chronisch alwetendheidssyndroom debiteer ik dat de bijverschijnselen van pijnstillers ongetwijfeld kunnen doorwegen, maar dat de onterechte nevenwerking van ons moei-zaam leven nog meer doorweegt; dat ik daarom veel liever mijn totale, lamlendige vermoeidheid met een allesomvattende 'breukriem' zou willen insnoeren, een nieuwsoortig 'corset complet', in plaats van alleen maar die bult op mijn onderbuik. (Dat 'corset complet' vind ik nog wel grappig).

Leo kijkt even op, terwijl hij het voorschrift afstempelt. Er ligt een volgend prangend stuwmeer van woorden en beelden op mijn tong. Ik ben niet meer te stuiten en blijf dazen. Dat ik mijn brandende spierpijnen zónder chemicaliën of pillen wil terugduwen in een tot nu toe, ongekend, medisch vangnet en dat ik daarom later – als tweevoudig, vermoeide gepensioneerde – de 'breuk-van-mijn-leven-prothese' zal uitvinden, tegen de permanente CVS- scheur in mijn leven, voor mij, en voor al mijn chronisch hijgende medemensen. De dam is gebroken en de vloedgolf van ter plaatse verzonnen klanken en zinnen waarover ik niet de minste controle had, is voorbij. Een korte stilte. Dan begint Leo te lachen. Ik vind het fijn dat hij nog altijd zo kan reageren op mijn breedsprakerige tirades. Het is alsof we voor één keer niet machteloos toekijken, alsof mijn onontwarbaar gebrabbel toch nog een beetje op humor lijkt. We staan terug in de wachtkamer en hij neemt afscheid. Ik vind het jammer dat hij zijn geijkte huisartsentaal bovenhaalt: 'Allé vooruit, we zullen wel zien. En goeie moed!'

'Zeker,' zeg ik, op slag weer een beetje minder overtuigd, 'genoeg geouwehoerd, want gedane breuken nemen toch geen keer.'

Op de terugweg naar huis – oh, wisselend gemoed – zie ik alles erg somber in. *Gedane breuken nemen toch geen keer* – wat een melige prietpraat, en bovendien, ik ben nog altijd geen stap verder. Waarom ben ik toch zo dwaas om dat telkens weer te verwachten? Ik draai vanop de veel te snelle steenweg ons rustig straatje in. De levensgevaarlijke steenweg en het kleine straatje om in te wonen – zouden dit misschien *Gods ondoorgrondelijke wegen* zijn? Weer zo'n flauwe oprisping. Wanneer ik uit de auto stap, zie ik het oude vrouwtje 'van de hoek' achter haar raam staan. Op ieder ogenblik van de dag trekt ze het venster open om aan een voorbijganger te vragen hoe laat het is. Ook dit is de gang van zaken, en ik aanvaard wat ik in het boek van de Tibetaanse monniken gelezen heb: 'Geluk is een keuze die je maakt van wat je hebt.'

An is thuis, dat is fijn. Dit was zeker geen slechte dag, en dat is ook fijn.

><

Gisteren was het helemaal fijn, het was zelfs een lange, 'goede dag' en dat was bijzonder en hoopgevend.

Ik reed gisterenochtend op de E40 naar het parkeerterrein van Heverlee en had ongestoorde, prettige woorden in mijn hoofd. Ik voelde me gewoon blij zoals iedereen blij kan zijn, bij mij was het wel al een tijdje geleden. Ik zag voortdurend bizarre, opgewekte gedachten voor me staan, in losse lettertjes – zoals bij het scrabbelen, wanneer je een grappig, maar onbestaand woord vormt en het nog eens naleest, om jezelf te overtuigen dat het wel eens zou kunnen bestaan. Na iedere prettige gedachte die zo kwam bovendrijven, verscheen er ook telkens een bordje, met daarop in een ouderwets handschrift: 'Goede dag' – zoiets als het alom geprezen bordje: 'Trek het je niet aan', bij de 'bomma van Raymond.' Ik vroeg me af hoe mijn hersens zoiets konden klaarspelen en waarom dat bordje 'Goede dag' er telkens tussenkwam. Ik reed de afrit van Sterrebeek voorbij en dacht aan de uitdrukking 'de keerzijde van de medaille' – wat meestal, ongeluk hebben of ziek zijn betekent. Vandaag voelde ik geen pijn of vermoeidheid, wat de laatste maanden eerder uitzonderlijk was. Vandaag betekende de keerzijde van mijn medaille dus: niét ziek zijn en vooral, niet moe. Ik stak een vrachtwagen voorbij en hup, daar hing het 'Goede dag'- bordje weer, het perfecte schijfje tijd dat 'geluk' heet. Ik genoot van de zalige toestand waarin ik zomaar was terechtgekomen, zonder er ook maar iets voor gedaan te hebben. Ik dacht: je moet alleen maar een beetje 'chance' hebben.

Voor me uit zag ik de afrit van Bertem. Ik overliep vlug wat ik moest doen: nog even op de E40 blijven, dan de afslag nemen en meteen links kiezen voor het benzinestation en het parkeerterrein, de plaats van afspraak met Paul en de cameraploeg. Hier even goed opletten – en zeker niet zo dom zijn als vorige week, op de ring rond Brussel, waar ik de afrit om naar huis te rijden al een halfuur lang in de gaten had en toch nog simpelweg oversloeg. Nee, de helling eerst, dan de lange afrit links naar beneden nemen en zo dus op het parkeerterrein. Er stopte een busje vol vrolijke gepensioneerden, die allemaal tegelijk naar het toilet wilden. Ik ging, met mijn deur open, weer achter het stuur zitten en wachtte op de cameraploeg en op Paul die door een chauffeur van de omroep van Herentals tot hier werd gebracht. Ik was een kwartiertje te vroeg, ik voelde me niet moe en dacht eraan hoe zeldzaam dit soort 'betere' dagen waren geworden. Als je chronisch vermoeid bent zie je één 'goede dag' als een welkom, maar onbetrouwbaar moment van hoop. Meer van zulke dagen dagen achter elkaar doen je weer geloven. Het is ongetwijfeld het allerbeste wat je kan overkomen, tenzij iemand ooit zou zeggen: 'Voilà, je bent genezen.' – maar wie gelooft dat?

Ik had voor dit laatste programma tientallen mensen ontmoet die moe waren. Moe, met daartussen korte of langere tussenpozen van 'goede dagen'; en anderen die altijd moe waren, met nu en dan een heel korte opflakkering van hoop op beterschap. Ik hoorde nu, sedert vijf jaar, bij de laatste groep: bijna altijd moe, maar dankzij die korte onderbrekingen kon ik toch nog actief zijn en mijn televisiewerk gedeeltelijk blijven uitoefenen. Vandaag was het ook zo een dag dat ik weer durfde terugdenken aan vroegere programma's, die ik op mijn eentje voor de radio had gemaakt of aan de latere mastodontproducties zoals *Kom op tegen Kanker*, die ik met een legertje redactieleden, technici, gasten en artiesten had kunnen realiseren. Grote producties opzetten was nu uitgesloten, maar op een 'goede dag' kon ik nog altijd iets en soms nog een beetje meer ook. In de weken dat er echter helemaal niks lukte, en er enkel pijnstillers en opeenvolgende slaapbeurten overbleven, had ik al een 'goede dag' wanneer een heldere opflakkering in mijn kop me even wakker maakte, dan kon ik toch nog met An of de kinderen praten. Zo een 'goede dag' duurde soms nog geen uur, maar in weken van bange afzondering en diepe vertwijfeling was ik er toch blij mee.

Paul had zelf voorgesteld om hem in de open natuur te filmen, omdat hij zich dan even in het weidse Schotland kon wanen – waardoor hij ook gemakkelijker op moeilijkere vragen zou kunnen antwoorden, zei hij. Hij was moe van de rit en we dronken eerst nog een kopje koffie in de cafetaria. Toen reden we naar

Luik en daarna verder naar de Ninglinspo, een zijrivier van de Amblève – ongetwijfeld de wildste canyon-beek van onze Ardennen.

Paul was verrukt, hij vond het prachtig dat we die locatie hadden gevonden; dat er nog zo'n schitterende kloof met helder bruisend water in België te vinden was; en vooral dat hij er nog eens uit was. Overal in het jonge lover floten kleine onzichtbare vogels en het milde gekabbel van de rivier spoelde onze vermoeidheid weg. De helling die ons dieper in het bos bracht, bleef echter stijgen en we kregen het moeilijk – hij heel wat moeilijker dan ik. We stonden stil op het bospad, Paul hapte naar adem – Peter zag het: de camera draaide. We begonnen opnieuw te klimmen – nu heel wat langzamer – naar *Le Rocher du diable*, waar de stuwende Ninglinspo in schuim en gedruis een grillige weg had gevonden, diep uitgesneden in de opgetaste lagen van de harde rots. Paul trilde op zijn benen. Op de steilte wankelde hij geregeld naar achteren – vooruit was te moeilijk, te hoog. Hij ademde zwaar en liep nu naar het bruggetje boven de stortvloed. Ik zag hoe hij – bijna fotogeniek vermoeid – met beide armen gespreid, op de leuning steunde. Zijn kop knikte naar beneden – vol lood, te veel pijn? Hij zoog nadrukkelijk diep lucht naar boven, alsof hij ons wou doen geloven dat hij onder in zijn buik nog wat extra reserves had. De euforie van het groen had maar heel even geduurd, de kracht van het woud, de weidse natuur was weg.

'The devil rides again,' zei hij. Hijgend vroeg hij me daarna of ik zijn dagboek al gelezen had. Zijn nachtmerries vol bloeddorstige kwelgeesten en spoken, zijn lugubere hallucinaties waarin onherkenbaar misvormde vrienden en familieleden iedere nacht opnieuw in een akelig en onverklaarbaar vervolgverhaal opdoken. Hij overviel me. Ik had het gelezen, maar ik was er niet op voorbereid. Zijn angst en vooral zijn wanhoop waren me veel te nabij: hij sprak over mijn eigen vertwijfeling die ik zelf nooit aan anderen had durven vertellen. Ik zei hem dat hij heel goed schreef en dat zijn beelden me aan Jeroen Bosch deden denken. Het was geen antwoord, het was een dooddoener: een valse en doorzichtige omweg om mezelf niet te moeten bereiken, niet nu. Ik ging een paar meter achteruit tot bij de cameraploeg. Ik liet hem alleen met zijn ademnood, omdat ik bij de brug aan de Duivelsrots, veel te lang mezelf had zien staan.

'We gaan terug, Paul.'

'*No Luk, it's fun, really it's good to be back again.*'

Ik loog dat we genoeg beelden hadden en dat we hem bij de terugweg, bij de afdaling langs de rivier, nog meer dan genoeg konden filmen. We gingen naar onze auto's op het parkeerterrein en aten een boterham in een baancafé. Volgens het draaiboek moesten we die dag nog naar de vervallen burcht van Franchimont: een ruïne, zijn leven. Daar, later die middag – de zon brandde op de vergruizelde stenen – vertelde Paul hoe zinloos zijn dagen waren geworden; hoe de buitenwereld hem had vernederd en achtergelaten; hoe hij ernaar snakte om opnieuw zijn brood te 'verdienen'; hoe hij vreesde dat hij zijn spieren niet meer zou kunnen gebruiken en als een fotogenieke plant in een rolstoel zou eindigen.

Ik vond het meer dan genoeg. Alles wat ik hem nog had kunnen vragen, moest ik eigenlijk aan mezelf vragen. Maar ik vroeg niets meer en hij begon te praten. Hij wou en zou nog verder gaan. De camera bleef draaien, terwijl de zon genadeloos in zijn ogen blikkerde – een scherpe, perfecte close-up. Hij aarzelde en trok even zijn hoofd achteruit. Hij slikte iets weg. Achter zijn modieuze zonnebril welden tranen op. Met de gesmoorde stem van een doodziek kind, beverig en ondraaglijk eerlijk, vertelde hij tenslotte dat hij al zo vaak had overwogen om eruit te stappen, dat alleen zijn dochtertje Lois hem ervan weerhield om er definitief een einde aan te maken.

Paul zweeg. De camera viel stil. Alles werd stil.

Hij draaide zijn rug naar ons, naar de wereld. Het was gezegd, geregistreerd, gehoord. Hij was nu alleen, opnieuw alleen, in zijn eigen kerkhof.

De rest van het beeldwerk was gesneden koek: *Tussenshots: een CVS-patiënt in een afbrokkelende wereld, Paul die in allerlei varianten, doelloos ronddoolt tussen de puinhoop van zijn eigen leven.* Mijn keel zat dicht, ik gruwde van dit scenario dat ik zelf had verzonnen, een documentaire die de waarheid moest blootleggen. Hier was echter geen andere waarheid dan uitzichtloos leed en onvoorstelbare eenzaamheid. Niemand wil dit zien! Iedereen wil dit zien! Hadden we ons eigen voyeurisme vastgelegd of – zij het naïef – toch geprobeerd om de wereld wakker te schreeuwen? Ik zei dunnetjes tegen Paul: 'We moeten naar huis...het is nog ver.'

'*Was it O.K. Luk?*'

'*More than I can say, Paul.*'

Het was in ieder geval meer geweest dan we samen konden verdragen: zwakte bekennen is ongemeen dapper, maar het blijft altijd vernederend.

Als verslagen bondgenoten liepen we naar de afspanning *Au Chateau* waar we lusteloos en zwijgzaam een pep-cola dronken. Toen vertrokken we naar Herentals. De rit was lang en troosteloos. Ook al was de zon er de hele tijd, achter Luik scheen ze voortdurend hard in onze ogen. De gedachte dat er misschien iets moest gezegd worden, het starre kijken naar niets, de kleinste bobbel in het asfalt, rechtop blijven zitten: het deed ons allemaal pijn. Onder meer.

><

Vandaag zijn we terug bij Paul: zijn 'thuis' – weg fris groen en helder water en bemoste kasteelmuren en weidse natuur. Hij en ik dragen de sporen van onze overmoedige uitstap van gisteren: een voorspelbare misrekening die we nochtans graag wilden maken, hij nog meer dan ik.

We filmen zijn dochtertje Lois en het interview met zijn vrouw Inge. Het fotoalbum van hun huwelijk ligt op haar schoot. Ze bladert erin en ziet opnieuw de haarscherpe beelden van een start-met-hindernissen: zij de hagelwitte bruid met enkel liefde, hij de bruidegom – sterker ogend dan hij feitelijk was – in Schotse klederdracht, met kilt en lange kousen. Een beladen jawoord voor iedereen die het vervolg van hun leven kent.

Scene 13: Bij Paul thuis. Inge, het verhaal van een sterke, maar overwerkte vrouw met aan haar ene hand een klein meisje, een dartele gouden krullenbol en aan de andere, een man die alleen maar geld kost en altijd achterblijft.

'Ik zie hoe hij lijdt, maar ik kan hem niet helpen,' zegt Inge, en even later: 'Wat ik zo erg vind is dat de mensen zo raar opkijken als ik hen zeg hoe ziek hij wel is, want behalve zijn ogen, zie je niks aan Paul. Ze geloven het niet, dat is zo erg.'

Het is het stigma dat we niet kunnen tonen, het litteken dat alleen maar in onze hersens gebrand staat. We hebben geen krukken – nog niet – geen gipsverband van hier tot ginder, geen uitgemergeld lichaam, alleen een schijterige bleekheid soms, en rode ogen, en een enkele keer een belachelijke breukband. Het letsel zit vanbinnen: *the devil rides again.*

Paul ligt uitgerangeerd op de zetel en de Ninglinspo dondert met duizend zwerfkeien over hem heen. De laatste pose is allang voorbij en alleen de waarheid blijft nog over: geen enkele aanvaardbare houding meer kunnen vinden. Lois huppelt blij en nietsvermoedend naar een afwezige vader – een donkere vlek op een ligzetel, een schim uit een verdwenen Schotland. De camera

draait. Ik word misselijk en trek me terug in de ouderlijke slaapkamer, ik zie mezelf liggen: 'Te moe om te sterven'. Waarom vandaag opnieuw, in godsnaam?

De batterijen zijn leeg – dat zal wel, ja – er wordt gewisseld,
de strijd gaat verder, genadeloos en ongelijk: Walter steekt een
spot op een statief en Peter zoekt de juiste hoek. De schrijftafel
van Paul in de slaapkamer wordt de laatste set, ik vraag hem of
het nog gaat. Hij kruipt recht en zwalpt van de sofa naar de donkere achterkamer: zijn kortste weg, zijn platgetreden pad van
overbekende wanhoop. Ik heb met hem te doen, maar ik doe
niets, ik overweeg wat ik hem straks nog zou durven vragen. Hij
zit aan de schrijftafel, in zijn handen zijn dagboek, zijn bijbel van
Beelzebub. Hij leest:

'Ik droomde vannacht dat ik weer in een vreemd huis was, ik zocht
Lois, maar kon haar nergens vinden. Ik hoorde haar roepen: "papa,
papa," maar ik kon haar niet zien. Toen... eindelijk vond ik haar...in
een zwembad vol bloed.'

Alles wordt stil. De ploeg zwijgt en buiten is er – alsof de klank-
band al gesynchroniseerd meeliep – gejoel van uitgelaten kinderen. Achter het raam kunnen we ze nu beter horen, beneden, ergens op een speelplaats. Walter had ze al die tijd al in zijn koptelefoon, zegt hij.

'Wat doen we?' vraagt Peter. 'Dit wordt moeilijk om later te
knippen.'

Ik weet dat ik later alles eruit zal knippen, of helemaal niks.

Het ontgaat Paul, versuft en eenzaam, waarom de camera stil-
viel – te moe, te veel pijn. Hij kijkt naar mij – hij had me vooraf
verteld wat dit dagboekfragment voor hem betekende. Ik weet dat
hij dit wou voorlezen, maar is er nu echt niets anders dan deze
versperde nooduitgang, deze akelige bekentenis van iemand die
geen uitweg meer ziet en enkel nog terugdeinst voor zichzelf? Ik
zoek zijn ogen, hij knikt. Het is een griezelig gevoel van beklem-
ming en herkenning – maar hij is nog zoveel zieker dan ik.

De camera wacht.

Flauwtjes glimlacht hij naar de ploeg, alsof hij nu pas beseft wat hij net gelezen heeft, alsof hij zich nu schaamt voor de anderen, voor de commentaar later:

'Wie vindt er nu zijn dochtertje in een zwembad vol bloed? Zo droom je toch niet, dat schrijf je toch niet op, dat kan je toch zomaar niet prijsgeven!'

Intens triest lacht hij zijn ellende weg en zegt: *'Come and see next week!'*

✦

Ik moest terug naar huis. De schemering maakte het rijden nog moeilijker dan het voor mij zo al was. Ik was nu alleen en reed verkeerd. Hoe het kon gebeuren weet ik niet, maar ik was opnieuw op de afrit van Bertem gekomen. Ik vertraagde nog wat ik kon, maar het was al te laat: ik was al op de afrit. In mijn achteruitkijkspiegel zag ik – gelukkig nog een heel eind achter me – hoe een zilvergrijze BMW over de diagonale wegmarkering naar me toe vloog. Een snelle jongen. De nobele ridder wou geen gas terugnemen, maar de afrit versmalde en hij viel zowat twintig meter achter me noodgedwongen in een hinderlaag. Ik kon aan zijn rijstijl zien wat hij dacht: *'Weer zo een stomme, trage lul!'*

Hij nam dan ook 'zijn' recht in eigen handen, duwde de gaspedaal in en dreef me bijzonder manmoedig voor zich uit.

'Minstens even snel als ik, sukkel, of helemaal aan de kant!'

Heel even vond ik zijn gedoe lachwekkend, maar toen vuurde hij zijn snijdende halogeenbliksems op me af. Hij begon wild te toeteren en wou me opzij hebben, naar rechts, over de witte streep. Maar hier kon hij toch nooit meer voorbij? Hij probeerde het opnieuw, schoof snel naar links en meteen terug naar rechts. Hij hing nu tegen mijn achterbumper.

'Opzij idioot!'

Onmogelijk!

Hij bleef aandringen, alsof er rechts van mij nog twee baanvakken vrij waren! Wat een onvoorstelbaar dikke nek en levensgevaarlijk bovendien! Hij begon nu te zigzaggen en schoof, nijdig aandringend, telkens naar links. Die man was gek! Ik voelde dat hij absoluut wou komen, erover gaan. Ik dacht: laat hem maar komen! Maar in een flits in mijn zijspiegel, zag ik een bijna moorddadige waanzin in zijn ogen.

'*Wie zich op de weg waagt, moet ook durven sterven!*'

Hij sloeg razend op zijn stuur, liet zich terugzakken en schoot dan opeens weer vooruit. Hij wou me raken, verdomme! Ik werd bang. Ik keek in mijn achteruitkijkspiegel: hij kwam opnieuw. Ik kon zijn rode, bloeddoorlopen ogen zien, er ging een ijskoude rilling door mijn lijf. Ik moest stoppen of aan de kant, maar opzij kon niet meer – de afrit was veel te smal – en als ik ook maar even zou durven remmen... Hij nam gas terug en zakte achteruit: tien meter, twintig meter, alsmaar verder. Het leek alsof hij opeens geen haast meer had, alsof het hem begon te vervelen en hij me niet langer wou opjagen. Ik keek naar zijn motorkap, nu zo'n vijftig meter achter mij – het chroom van het luchtrooster had iets van de muil van een haai en naarmate hij langer en verder achter me bleef, kreeg ik het akelig voorgevoel dat hij helemaal niet gehaast was, dat hij alleen maar het goede ogenblik afwachtte. Waarvoor? Wanneer kwam er in godsnaam een einde aan die afrit? Ik huiverde, ik voelde dat hij weer ging toeslaan en alles zou doen om me overkop te krijgen. Hij bliksemde opnieuw met zijn lampen. Ik wist dat het ging gebeuren. Hij duwde zijn zestien kleppen open en schoot op me af. Machteloos en doodsbang klemde ik mijn vingers rond mijn stuur, alsof ik daarmee ook maar enigszins de genadeloze slag zou kunnen opvangen. Hij kwam eraan! Ik wist dat hij zijn gaspedaal alsmaar dieper indrukte en trok mijn hoofd tussen mijn schouders. Ik sloot mijn ogen. Er volgde een schril gierend geluid, alsof mijn koetswerk van boven tot onder werd opengescheurd, maar er gebeurde niks. Hij had ineens al zijn remmen dichtgegooid en was daardoor vlak achter mij tot stilstand gekomen. Ik keek in mijn spiegel en zag hoe hij onmiddellijk daarna, met een korte triomfantelijke snok opnieuw schakelde en weer plankgas gaf, waardoor zijn voorwielen los van de grond kwamen. Hij begon warempel te steigeren: als een furieuze, in de lucht klauwende hengst die zich met zijn achterpoten afduwde en zo, met korte schokken verder en verder vooruitsprong. Ik kon mijn ogen niet geloven: ik zag in mijn achterruit dat hij alsmaar hoger klom. Zijn motor brulde nu nog luider en na een laatste gasstoot vooruit, schoot hij in de lucht en viel met een doffe klap op mijn achterbumper! Hij had me goed geraakt, de smeerlap! Ik gaf gas en zijn bumper schoof van de mijne. Hij liet zich wat terugzakken – was hij geschrokken, of was dit nog maar het eerste spelletje? Hij schoot opnieuw vooruit, ditmaal zonder af te remmen. Met volle geweld – hij wou me werkelijk dood hebben! – vloog hij met een onvoorstelbaar harde klap, recht in mijn koffer! Terwijl zijn lampen in zilveren spetters openspatten, sprong mijn diesel een paar meter vooruit. Zijn gehavende bumper sleepte over het asfalt. Ik was volkomen in paniek. Dit soort moordenaars bestond dus werkelijk!. Wat moest ik doen? Hij zou het opnieuw proberen. Ik schoof zo ver mogelijk naar de kant – ik hoorde ratelend gruis en stenen en lege frisdrankblikjes tegen de onderkant van mijn wagen kletteren. Dit was volkomen uitzinnig! Hij kwam opnieuw! Dit keer ging ik eraan! Ik schoof nog meer opzij, tot tegen de vangrail. Ik reed niet langer op het asfalt, maar over wegritsend vuil en vettig onkruid. Nog voor ik het goed en wel besefte, had hij zich naast me gewrongen, hij schuurde met zijn rechterflank tegen mijn zijkant. Dit was onmogelijk: we reden tegen elkaar geprangd, naast elkaar! De afrit werd alsmaar langer. Er kwam een bocht. Ik durfde nauwelijks nog sturen. Hij bleef naast me hangen en volgde iedere beweging die ik maakte. Ik moest absoluut en zoveel mogelijk gas geven om hem weer achter mij te krijgen, maar zijn wagen was minstens tweemaal zo snel als de mijne. Wat kon ik doen? Ik kon op geen enkele manier nog voor- of achteruit! Hij begon nu nog meer naar me toe te schuiven! Mijn buitenspiegel klapte in elkaar. Hij wou mijn deur openscheuren!

Te smal! Ik wil leven! Mijn leven!

Het schreeuwde allemaal vanbinnen, het gekraak van de vangrail, ijzer op ijzer en daarbovenuit de melodie van een lied dat ik maar niet kon herkennen. Hij schoof naar links en meteen weer opzij. Hij raakte me weer, voluit, zonder ook maar één ogenblik aan zijn eigen leven te denken. Ik wou om hulp roepen, die melodie horen, dat lied herkennen. Welk lied, in godsnaam? Hij haalde opnieuw uit – hard en dof grommend geschuur – en hij sloeg opzij. Mijn diesel bleef op de weg en daverde verder. Ik was doodsbang, wist niet meer hoe ik moest remmen, kon nauwelijks nog aan mijn stuur draaien en durfde hem niet meer aankijken. Dit was het einde! Opeens liet hij zijn motor loeien. Met het gehuil van een dodelijk monster schoof hij zijn gemetalliseerde, gedeukte doodskist een meter vooruit, de zijkant van zijn koffer plakte tegen mijn linkervoorkant. Ik probeerde te remmen, en langzaam achteruit te vallen; hij remde net iets harder en duwde zich, onder hels lawaai van kreukend metaal, weer naast me. Opnieuw hing dit beest naast me. Mijn deur was helemaal ingedeukt. Ik was radeloos en trok op, hij schoof moeiteloos mee! Boven het geraas uit, hoorde ik hem brullen van plezier, zijn adem stonk naar brandend rubber en verschroeid staal.

'*Vluchten kan niet meer.*'

Hij mocht voor mij...beslist arrogant...en stoer...en onverbiddelijk rechtdoor...hij had nu toch genoeg...met mij...en dan zou ik alles voor hem doen en...?

Hij schoof opeens tien meter naar voren – hij had er blijkbaar genoeg van! Nu dus! Maar nog voor ik durfde reageren, had hij zich opnieuw laten afzakken. Met het schuim op zijn lippen grinnikte hij naar mij. Zijn smerige mond stak vol rotte tanden en zijn jukbeenderen staken bijna door zijn vel.

'*Heeft geen enkele zin.*'

Ik keek achterom en zag – dit was de redding! – een auto, nog ver achter ons op de afrit. Ik remde, hij remde, ik gaf gas, hij gaf gas. Ik gaf nog meer gas en begon weg te schuiven in het aangeslibd vuil aan de kant van de weg. Ik vocht nu voor mijn leven en gooide opeens al mijn remmen dicht. Ik schoof nog meer weg, waardoor hij moest uitwijken, hij had er blijkbaar last mee. De auto achter ons kwam dichterbij. Het beest schoof weer een paar meter vooruit en wrong zich daarna weer naast me, het gebeurde allemaal zo moeiteloos, zo tergend nadrukkelijk. Hoe kon ik hier ooit uit weggeraken? Al mijn krachten waren opgebruikt, mijn benen waren verlamd, ik kon ze niet meer bewegen. Mijn tong smaakte naar vettig smeer en ik proefde ranzig braaksel tussen mijn lippen. Willoos viel ik achterover, ik had alle moed verloren en liet me drijven. Er was iemand anders die met mijn auto reed, ik gaf me over. Hij mocht met me doen wat hij wou. Ik keek naast me, naar hem. Er zat een andere man achter zijn stuur, iemand die ik heel goed kende. Was het mijn broer of was ik het? De man lachte, bijna hoffelijk, alsof hij het echt niet kon helpen dat dit nu eenmaal moest gebeuren. Nog voor de achterligger kon zien wat er aan de hand was, had ik hem herkend. Toen scheurde hij weg. Ook het lied was weg. Ik was kapot, begon te snotteren en te huilen en ik wou alleen nog lang en luid schreeuwen. Ik kreeg geen lucht meer, geen geluid en ik stamelde schor en droog, dat ik wel wist wie hij was en dat hij een moordenaar was. Mijn voeten trilden op de pedalen; ik had niet eens zijn nummerplaat gezien; mijn lijf begon mateloos te beven en ik sukkelde hortend en schokkend vooruit, tot op het parkeerterrein van het pompstation. Niemand had een in flarden gereden BMW gezien.

Toen ik, hijgend en kliedernat aan An probeerde uit te leggen, wat me overkomen was, hoorde ik zijn stem die zei dat ik toch zou moeten sterven.

'Kom, blijf liggen en probeer nog wat te slapen,' zei An en ze streelde mijn haar.

✂

Morgen vertrekken we naar Amerika. Ik voel me slecht. Hoe zou het met Annelies zijn?

De zomer is vroeger dan ooit, maar ik lig hier in de woonkamer, onder een wollen deken te rillen van de kou. En – wellicht is het ook het verkeerde seizoen – ik luister naar de *Matthäuspassion* van Ton Koopman. Ik hoor hoe strijkers en blazers de laatste maten van de introductie spelen en hoe moeiteloos het magistrale dubbelkoor aansluit: '*Kommt, ihr Töchter, helft mir klagen!*'

Telkens opnieuw grijpt het me aan: het lijdensverhaal van een mens en het antwoord van een andere mens, de troost van Bach. Het is de pijn die muziek wordt, voor mij de enige muziek die nog kan als niks meer kan, de laatste balsem voor ondraaglijke moeheid. Buiten snerpen zeurderige grasmaaiers en over de afgesloten, groene speelstraat lopen vrolijke kinderen in lichte kleren. In de volkstuintjes naast ons huis, hoor ik hoe hatelijk en brutaal de dikke Antonia vanuit haar zetel in het bouwvallig tuinhuisje haar man roept. Het is etenstijd, maar Michel zal weer niet komen opdagen. We horen hen nu al meer dan tien jaar en kennen intussen elke intonatie, elke betekenis van hun ruwe, schreeuwerige conversatie. Maar dit is ruzie, al wekenlang.

Ik trek me recht en geef The Amsterdam Baroque Orchestra wat meer volume.

Antonia krijst opnieuw, luid en machteloos. Het is haar allemaal te veel geworden: haar woekerende kwalen, haar uitzichtloze toekomst en vooral haar ongrijpbare vent die niet eens een fatsoenlijke krop sla kan laten groeien, en telkens opnieuw en onaangekondigd zijn talrijke vrienden in het bouwvallige buitengoed blijft uitnodigen.

'*Et il ne veut pas marier avec moi,*' zei ze, '*et je suis malade!*'

Hij zou wel zot zijn. Hij wil geen blok aan zijn been. Hij heeft de pest aan haar, aan haar constante opmerkingen, haar zuiderse bazigheid en haar luidruchtige familie. Hij zegt dat ze hem verplettert met haar gewicht. En ook al beweegt ze nog nauwelijks, voor hem is haar pedante zwaarlijvigheid overal aanwezig: een uitdeinend heelal dat zijn laatste greintje arbeidsvreugde opslokt. De eens zo opgewekte, altijd kwieke Bretoen is moe en vecht niet meer voor zijn zuurverdiende vrijheid. Hij heeft er genoeg van: van zijn werk in de metro, van zijn schreeuwerige kleinkinderen en van zijn aangenomen zonen die zich om de haverklap te pletter rijden of zich weer eens 'suicideren', om dan veertien dagen later, ongestoord aan zijn tafel te komen mee-eten. La mamma begint nu onophoudelijk te krijsen. Ik hoor hoe haar stem breekt en overslaat, wanneer ze hem krassend en tierend verwenst. In het vuilste Siciliaans bezweert ze hem, vervloekt ze zijn naam, zijn kinderen en heel zijn toekomstig nageslacht – tot in de eeuwigheid. Ik hoor Bach:

'Den falschen Verräter, das mördrische Blut!'

Michel zwijgt. Hij weet dat ze nauwelijks nog in de tuin durft komen – ze zou wel eens kunnen vallen en ze weet dat hij haar zeker niet zou helpen, hij zou wel helemaal zot zijn.

'Michaaaal!'

Hij treitert haar door nergens te zijn, door te zwijgen, door af te sterven, door haar voorgoed alleen te laten. Voor haar is hij dood, verstopt achter een stapel lege watertonnen, of doder nog, onder een berg rottende bladeren, ver in zijn rommelige tuin – waar zij nooit durfde komen en hem ook nooit zal durven zoeken.

Ik krijg het opnieuw koud. Ergens onder in mijn rug vertrekt een ijselijke rilling. Antonia schreeuwt. Ik ben bang voor haar en voor de eindeloze huivering die nu zal volgen. Ik trek een tweede deken over me heen en zet de koptelefoon op.

'Wir setzen uns mit tränen nieder.'

><

De eerste schooldag in het grote college in de stad was een klap in mijn gezicht. Ik voelde me daar, na de kommerloze jaren bij de 'Broederkes', zo verweesd en ellendig dat ik op het inschrijvingsformulier – onder de kolom 'Ziekten' – zowat alle ongeneeslijke aandoeningen aankruiste die ik kende, in de hoop dat ik daardoor op staande voet naar huis zou gestuurd worden. In de namiddag moest ik dan ook bij mijnheer de secretaris komen. Ik schrok toen de man opeens mijn familienaam uitsprak.

'Dat ben ik, mijnheer.'

Hij keek in een reusachtig register dat hij gewichtig voor zich uit hield.

'Dat ben jij dus? Zesde Latijn E ?' Hij had me nog steeds niet aangekeken. 'Waar haal jij zeven voornamen vandaan?'

'Ik was er niet helemaal zeker van, mijnheer...'

'Dus, jij hebt zomaar wat namen opgeschreven?'

'Niet zomaar, mijnheer... mijn eigen naam, die van mijn twee ouders en van mijn vier grootouders, die leven nog allemaal.'

Hij taxeerde me even, vanachter zijn naamregister.

'Ach zo? En komen die ook allemaal Latijn studeren?'

Ik bleef hem het antwoord schuldig. Alsof hij misschien zomaar al zijn voornamen kende! Ik wou hem in zijn gezicht spuwen en daarna terug naar huis lopen, maar hij klikte even op zijn rode bic en schrapte met twee genadeloze halen mijn hele stamboom.

Ik begon twee jaar te vroeg aan die zesde Latijnse en begreep nauwelijks waarover de leraren het hadden – telkens weer een andere, bovendien. Ik haatte die school, maar ik bleef er drie jaar, enkel en alleen omwille van het schoolkoor. Het Saviokoor was erg bekend. Op de programmabrochure later in het NIR, waar we een onmogelijk modern lied moesten zingen, stond in fraaie letters gedrukt: *'De mooiste kinderstemmen van Limburg.'* In het college werden we echter brutaal 'de Keffers' genoemd. Dat was voor mij een totaal misplaatste en naar jaloersheid ruikende spotnaam, want van de duizend geteste leerlingen bleven er amper veertig 'mooie stemmen' over. Ik vond het onterecht dat wij – omdat de stichter van het koor een kefferige, gebroken stem had – meteen ook zo maar genoemd moesten worden. Het jongenskoor was nochtans 'wereldberoemd', bijzonder goed – zo goed zelfs, dat het gerucht de ronde deed dat er een grammofoonplaat opgenomen zou worden. Onze dirigent, mijnheer Van Nevel, was trouwens niet de eerste de beste. Hij kon in één oogopslag vier partituren lezen, de maat slaan en een valse tenor terechtwijzen, én hij was op het Conservatorium geweest. Zijn jongere broer Paul kon van 'het blad lezen', hij zong de solopartijen bij de alten. (Ik heb Paul van Nevel nadien nooit meer ontmoet, ook later niet toen hij zijn befaamd Huelgas-ensemble had opgericht).

Op een vrije donderdagnamiddag werden een viertal sopranen in het biologielokaal bij mijnheer Van Nevel geroepen. We zongen ieder afzonderlijk enkele toonladders en een paar lijnen uit een Cantate die we net hadden geleerd. Na de test nam hij me even apart en vertelde me dat ik voortaan de sopraansolo's zou mogen zingen. Ik was dolgelukkig en voelde me bevoorrecht toen hij bij de eerstvolgende algemene repetitie het koor onderbrak en zei: 'Goed zo, en nu nog even de solisten.'

Meer dan wie ook – zo voelde ik het tenminste – ontdekte ik de diepere betekenis en de ontroerende schoonheid van de muziek. Onder de speeltijd werd iedere zangpartij grondig ingestudeerd in een van de leegstaande klaslokalen. Als we 's avonds voltallig in de turnzaal voluit en meerstemmig een Middelnederlands lied zongen, was het alsof de hemel voor me openging. Het leek een wonder van pure kunst dat zoveel verschillende partijen, los van elkaar gerepeteerd, nu zo exact en innig mooi konden samenvallen. Ik hoorde hoe helder de moeilijke kopstemmen van de tenoren bleven drijven op de diepe golven van de onverstoorbare, zware bassen; hoe de alten de sopranen omhoogduwden; hoe we samen een nieuw en heilig lied zongen dat niemand ooit voordien had gehoord. Eindelijk was het zover. Gedurende drie nachtelijke sessies zouden er vier liedjes opgenomen worden. We hadden sandwiches en koffie gekregen en stonden op de speelplaats, aan de deur van de turnzaal te wachten. Er hing een bijzondere spanning. Er werden kelen geschraapt, toonladders afgewerkt en muzikale spelletjes gespeeld, waarbij we elkaar op de proef stelden om te horen wie het eerst vals zou zingen. Het begon donker te worden, op de boulevard reden nog enkele auto's en de opnamen konden nu ieder ogenblik beginnen.

Opeens hoorden we hoe iemand in de turnzaal op een viool speelde. Het was de leider van 'een-écht-wereldberoemd-ensemble dat helemaal uit Duitsland was gekomen om ons te begeleiden'. Ik gluurde door de open deur en keek geboeid naar een halve cirkel ernstige heren die nauwgezet hun instrumenten stemden. Toen ze daarmee klaar waren, speelden ze samen; ik herkende de melodie. Het was de introductie van een van onze liedjes. Voor het eerst in mijn leven luisterde ik van heel dichtbij naar de klank van dun en warm hout, en van snaren die trilden: voor mij een onbekend geluid, teder bijna en onwezenlijk mooi. Een halfjaar later hoorde ik op een kleine, blinkende vinylplaat diezelfde strijkers en de solopartijen in *Pierlala* en *Jan de Mulder*.

Ik had dan wel geen zeven voornamen, maar ik had echte muzikanten horen spelen en samen met hen gezongen.

✄

9 juni 1997

Bijna dertig jaar later vlieg ik – voor mijn allerlaatste documentaire? – met een cameraploeg naar San Francisco. Het is nacht. Tienduizend meter onder ons ligt een immense oceaan en ik hoor opnieuw dat dunne stemmetje dat over Pierlala zong. Het is hetzelfde stemmetje als dat van Aiko, mijn eerste kleinzoon – hoog en kwetsbaar, wanneer hij een beetje bang, op handen en voeten naar de poes kruipt om haar te strelen.

Het vliegtuig trilt en ik probeer mijn verkrampte benen te strekken, alles doet pijn. Ik kijk naar Annelies, ze probeert te slapen. Ze heeft nog meer pijn en is doodmoe. Ze wou net aan haar leven beginnen toen ze CVS kreeg, genadeloos vroeg en verschrikkelijk hard. Ze was haar leven bijna kwijt. Nu hoopt ze, zoals wij allemaal, dat dokter Peterson straks in Lake Tahoe een wonder zal doen en haar helemaal zal genezen, net zoals ze ziek werd: zomaar.

Ik kijk naar haar en zij naar mij en we weten het allebei. We geloven niet meer in wonderen, we hebben CVS.

✦

Gisteren heb ik de uitzending aan de pers voorgesteld. Er waren journalisten die vragen stelden over CVS en zelfs over het programma – wat meer en meer uitzonderlijk begint te worden. Achter hun nieuwsgierigheid hoorde ik echter ook hun twijfels. Is het bestaan van CVS nu echt bewezen, is het geen ingebeelde ziekte? Ik probeerde me te beheersen, mijn antwoord zo goed mogelijk te verhullen en niet te laten blijken dat *Te moe om te sterven* ook mijn portret was. Waarom zweeg ik nog altijd?

De voorbije maanden had ik voortdurend op mijn tandvlees gelopen. Ik was nauwelijks hersteld van mijn geopereerde liesbreuk – meer dan een maand na de ingreep, voelde ik me nog altijd te zwak om 50 minuten programma te selecteren uit de meer dan twaalf uur rushes van de documentaire. Het leek wel alsof ik al mijn krachten in Amerika had opgebruikt en alsof er daarmee definitief een punt was gezet achter mijn werk als producer en als programmamaker. De arbeidsgeneesheer was tenminste op de hoogte van het bestaan van CVS en hij had me aangeraden om een volledig jaar te rusten. Hij zei dat mijn toestand zorgwekkend was, dat ik zo niet langer kon doorgaan en dat er wellicht een nieuwe hartaanval op komst was. Ik had hem geantwoord dat ik inderdaad niet meer verder kon en noodgedwongen het bijltje erbij zou neerleggen, van zodra dit laatste programma gemonteerd was, helemaal klaar voor antenne. In de late zomer – met de hakken over de sloot, en dankzij de hulp van Rita, een assistente die telkens insprong als ik niet meer kon – was de montage eindelijk rond. Ik besefte toen nog meer dan voorheen, dat dit mijn laatste productie voor televisie was geweest. Het was een bittere pil. Iedereen was ontzettend lief voor me geweest en toch kon ik het ritme niet meer volgen. Misschien zou ik voor Radio1 nog wel een bijdrage kunnen leveren, maar ook daar hadden ze liever nieuwe bezems, die ook bereid waren om alsmaar sneller te vegen. Ik voelde me zelf weggeveegd, uitgewist en vooral niet meer nodig. Ik begon eraan te twijfelen of ik het volgend jaar nog wel iets voor de omroep zou kunnen doen; of ik eigenlijk nog ooit opnieuw zou kunnen werken? Ondanks de slaappillen, kon ik er nachten lang niet van slapen.

Toen Lady Di verongelukte, begon ik opeens heel vreemd te dromen. Doodgaan was er bijna altijd bij, in alle mogelijke varianten. Eén enkele keer stond ik zelfs tussen mijn familie naar mijn eigen graf te kijken. Het was een ontroerende en mooie begrafenis, zij het dan met heel wat minder bloemen.

Over een week komt *Te moe om te sterven* in Document op antenne en het is de eerste keer dat ik met zo weinig enthousiasme naar een afgewerkt programma uitkijk. Er is heel veel veranderd, ik ben ontzettend moe. Vandaag zitten er opnieuw spijkers in mijn lijf. Mijn ruggengraat is van boven tot onder ontstoken en sinds vanochtend lig ik weer op de sofa – hoelang deze keer?

'Voorspel, strofe, tussenspel, refrein...'

Ik lees in een verkleurd, flinterdun 'Student Copy Book', met op de eerste pagina, in een vreemd, schuin handschrift: oktober 1962. Het waren mijn allereerste teksten, mijn eerste liedjes.

'Moet je horen,' zeg ik tegen An, die onvermoeibaar mijn nek en mijn schouders blijft masseren, 'hoe visionair ik toen al was.'

> 'Heel alleen zat ik daar op het strand,
> twee witte duiven op mijn hand.
> En ik wil weten wie ze zijn,
> want weldra komt de ochtendpijn.'

'Jij en je poëzie...als je geweten had hoeveel ochtendpijn je nog zou te wachten staan, je zou wel wat anders geschreven hebben.'

'Ik was amper veertien toen ik dat schreef. Alles was mogelijk, ik zou beroemd worden.'

'Je moraliseerde toen al.'

Ik voel hoe de pijn me weer nukkig maakt en vraag me af of ze geen gelijk heeft, als ze plaagt: 'Je had bij de paters moeten blijven.'

Maar ik verdraag het niet. Volgende week wordt mijn laatste programma vertoond – 'Oh, Luk Saffloer heeft ook nog eens iets gemaakt...' Ik heb moeite om te aanvaarden dat mijn trots nog meer gebroken is dan mijn lichaam. Twintig jaar lang zweeg ik over die onbegrijpelijke, vernederende opstoten van buitenspel gezet te worden. Twee keer tien jaar heb ik gevochten om mijn plaats aan het mediafirmament te behouden, zonder excuses en zonder afgedwongen medelijden. Maar intussen zeg ik al vijf jaar dat ik vijftig ben en ik kan niet meer verbergen dat het niet meer gaat. Ik haat die ellendige ziekte.

Ik zie opeens een tehuis voor me, vol chronisch vermoeide paters die zilverpapier gladstrijken en goedkope missieprullen sorteren. Ik voel dat ik onredelijk begin te worden en zwijg. Ik blader verder.

'Hier, dit is tenminste zelfkritiek. Ik wist wel dat ik ook zoiets geschreven had.'

> 'Ik zag een kind en het plukte een bloem
> en het was zo klein, onbevangen.
> Het had geen geld en het kende geen roem
> en het leefde slechts van verlangen.'

An lacht om mijn dwaze teksten en maakt alles zoveel lichter. Hoe zou haar leven geworden zijn zonder mij? En het mijne zonder haar? Niet zolang geleden ben ik mijn eigen weg gegaan, ik liet haar achter. Een halfjaar lang nam ik de proef op de som en de rekening klopte niet. We horen samen.

Maar ik ben bang voor wat we nog niet weten, voor wat nog komen moet en vooral, voor wat niet meer komen zal.

✦

Voor ons uit zagen we de laatste sparren als kleine, donkergroene Märklin-boompjes omhoogsteken tegen de helderblauwe alpenlucht. Thuis hadden we ze herhaaldelijk proberen neer te planten: wankele lucifers met watten beplakt en met klieders plakkaatverf ingestreken, gevaarlijk overhellende bossen waartussen onze modeltreintjes telkens weer ontspoorden.

We hadden een paar uur flink geklommen: pa en wij met onze rugzakjes – als een kleine, hechte patrouille. Vijf man sterk. Moeke was in het dorp gebleven, beneden in het dal. Ze had een picknick voor de hele dag klaargemaakt, met drinkbussen vol koffie en limonade, bergen boterhammen en chocola en vooral een stapel pannenkoeken, die pa straks op een knetterend hout-vuur zou opwarmen. Achter bultige reuzenrotsen, begroeid met struikgewas en stompige bergdennen lag het meer – zuiver als de weerkaatsing van ons glashelder plezier. Jos en Gie zochten sprok-kelhout en denappels, Jan en ik gingen zwemmen, en pa zou wat rusten. Liggend in de schaduw van een zomerse kerstboom, leek hij op de zwevende engel op het schilderij in onze parochiekerk. Tien jaar oud was ik, toen Jan en ik de wolken in het water aan flarden sprongen.

'Voor het eerst naar pa, aan de overkant!'

Jan ligt al voor, hij gaat weer winnen. Het is niet eerlijk, hij is te groot. Hij ligt een lengte voor, is al bij de twee hoge stenen en moet nu opzij. Ik kan winnen als ik rechtdoor zwem, tussen de rotsen door, in de smalle geul waar we van pa nooit mochten ko-men. Engelbewaarder, biechtstoel, zonde, pa: ik ga door! Ik kan de rotsen aanraken, heel dichtbij, ik zwem door de kuip – het water is warmer. Jan roept. Pa komt recht. Ik ga door. Met drie slagen ben ik er overheen, ik ga winnen. Jan is razend, ik zie hoe hij verliest.

Onder mij, opeens een grijze vlek, groot en hard. Een slag op mijn scheenbeen, vlijmscherpe pijn. Verder! Nog een slag, weer een been, Jan roept. De rotsen snijden, mijn mond gaat open om ook heel luid te schreeuwen. Er is echter geen geluid, er is water en pijn. Moet ik blijven schreeuwen zonder geluid? Ik buitel naar onder, dieper, geen rotsen meer, geen onder. Bubbels en wolken lopen in mijn buik. Waar is de bodem, hoe lang kan ik zinken? Hoe ver is beneden, wanneer ben ik dood?

Pa... Kerstmis... moeke... ?

Het was helemaal niet donker beneden. Er was zacht wuivend wier en zuigend slib en ik ging niet naar de hel. Ik bleef een zalige eeuwigheid drijven tussen de opstijgende kerstballen van blauw en wit.

Toen de sterke engel me naar de hemel trok, zag ik pa staan, zijn kostuum was kletsnat.

><

Annelies komt uit haar rolstoel en schuifelt voorzichtig en alleen over de houten vlonder. Het donkere water van Lake Tahoe kabbelt tegen de steiger, een meeuw scheert over een zeilboot en de eindgeneriek rolt over het scherm. Dit was *Te moe om te sterven*, het verhaal van twee mensen met CVS: Paul en Annelies, en dat van tienduizend andere Belgen. Hieraan heb ik nu zolang gewerkt.

Een gevoel van onbehagen overvalt me. Ik had heel wat verder kunnen gaan: veel meer de doffe ellende kunnen tonen of de totale uitzichtloosheid bij sommige patiënten. Wie ernstig chronisch vermoeid is, zal zich wellicht geërgerd hebben aan mijn omzichtige aanpak, en wie de ziekte niet kent, heeft na een paar minuten misschien al weggezapt, omdat het onderwerp toch te zwaar, te veel was voor één uitzending? Mijn zelfzekerheid is de laatste maanden al erg op de proef gesteld en vanavond weet ik helemaal niet meer of het programma goed of slecht zal onthaald worden, of ik wel ver genoeg ben gegaan, of ik voldoende informatie heb gegeven.

Ik had ervoor gekozen om het leed van mensen te tonen, zonder al te gemakkelijke sensatie. Maar misschien heb ik daardoor de kern van het probleem, het echte drama van CVS niet goed in beeld gebracht? Ik had de keuze om andere zieken aan het woord te laten. Er was me bijvoorbeeld het verhaal bekend van een vrouw die eerst haar werk verloor en daarna lijdzaam had moeten toezien hoe haar man haar in de steek liet – alleen met haar ziekte – en hoe hij daarna voor een andere, gezonde vrouw koos. Ik zou wellicht beter gescoord hebben wanneer ik, in ware Jambersstijl, haar uitzichtloze depressie en de mede daardoor veroorzaakte berg schulden, in het breed en in het lang over het scherm uitgesmeerd zou hebben. Maar ik ben Jambers niet en ik troost me met de gedachte dat ik gekozen heb voor mensen en hun waardigheid en niet voor de kijkcijfers, dat ik de voorrang gegeven heb aan hun verminkte ziel, aan hun gevoelens van vertwijfeling en onmacht en aan het onbegrip waartegen iedere CVS-patiënt het moet opnemen.

✄

Bea heeft me gebeld. Er zijn heel wat telefoons binnengelopen op de redactie en bijna een kwart miljoen mensen hebben gisteren voor het tweede net gekozen en naar *Te moe om te sterven* gekeken. Ik ben blij, ook al weet ik dat er ongetwijfeld lezersbrieven zullen volgen van ontgoochelde kijkers, vooral dan van patiënten.

>‹

Wat gebeuren moest, is gebeurd: ik ben uitgeteld. Nu is het mijn beurt. Al drie dagen lang kan ik me amper nog bewegen. Het lijkt wel alsof alle gewrichten, spieren en zenuwen tegelijk ontstoken zijn. Terwijl ik me de dag na de uitzending nog een beetje kon koesteren in een aanvaardbare, lome vermoeidheid – het opkomend, bijna lekkere griepgevoel – ben ik vandaag in de ergste fase terechtgekomen: de totale uitputting. De arbeidsgeneesheer had het voorspeld, maar dat het zo zwaar zou zijn, had ik me nooit kunnen voorstellen. Ik kan nauwelijks nog iets eten en slik de ene pil na de andere: Dafalgan Codeïne, Tilcotil, DHEA, Voltaren, biergisttabletten en 's avonds Dormonoct. Ik wil en kan alleen nog slapen.

's Morgens vraag ik me af waarom ik weer even moe als de dag voordien wakker moet worden, en wat ik eigenlijk moet beginnen met een nieuwe dag die me meteen weer terug in bed duwt. 's Middags zie ik er tegenop dat die ellendige dag nog maar half voorbij is en 's avonds hoop ik, tegen beter weten in, dat het morgen misschien toch iets beter zal gaan. Maar 's morgens loopt dit droefgeestig scenario gewoon verder, uur na uur, dag na dag. Dit is geen leven meer, het is amper overleven. Ik heb geen herinneringen meer, geen hoopvolle beelden meer van vroeger die ik als een beschuttend bastion zou kunnen oproepen. Ik zie geen enkel vooruitzicht meer om me nog aan vast te klampen, geen toekomst. Het hoeft niet meer voor mij.

>‹

In het weekend is de pijn minder geworden en ook de vermoeid heid is niet meer van de allerergste soort. Het leven is weer draaglijk geworden en ik heb geen moeite gehad om mijn eten te verteren. Waaraan heb ik dat verdiend?

Pa is vandaag naar Brussel gekomen, niet met de trein zoals de laatste tijd meer en meer, maar met zijn eigen wagen, boordevol planken en timmergerief. De meeste spijlen van het hek aan de oprit zijn onderaan rot geworden, die moeten we zo snel mogelijk – en nog liefst voor de natte herfststormen – vervangen. Daarnaast heeft hij ook een driedelige bibliotheekkast – in losse onderdelen – in zijn wagen gestouwd. Hij had amper plaats, zei hij, om zijn hoofd te draaien en in de zijspiegel te kijken.

Ik help hem met het uitladen en stapel de planken een na een onder het overdekt terras aan de voordeur. Vroeger kon ik een aardig stapeltje van dat blank geschaafde hout op mijn schouders torsen, soms tot tien planken tegelijk en nu kan ik soms nog net twee planken samennemen en ze voorzichtig op hun plaats leggen. Voorzichtig, want als ik niet bijzonder goed oplet, struikel ik over mijn knikkende knieën. Ik loop als een bejaarde handlanger naast pa, terwijl hij zelf al bijna tachtig is. Later op de dag schuren we de planken nog lichtjes op, daarna kunnen ze in het vierkante kader van het tuinhek vastgespijkerd worden. Pa ziet hoe zwaar me dat schuren valt en hij zegt dat ik niet teveel moet drukken en het papier zijn weg moet laten zoeken. Terwijl ik erover nadenk hoe ik dat precies moet doen, valt mijn arm opeens zonder beweging: machteloos en stil, ik heb geen kracht meer. Ik moet even op adem komen en daarna opnieuw proberen. Ik kan nog amper vijf keer over het hout wrijven en dan is mijn energie er helemaal doorgedraaid. Het is op. Dit heeft geen enkele zin meer, pa heeft het ook gemerkt. Hij zegt dat we morgen zijn schuurmachine zullen gebruiken en ik zie aan zijn ogen dat hij niet veel vertrouwen heeft in mijn verdere bijdrage.

's Anderendaags gaat het al niet veel beter. Ik verdraag niet de minste kritiek op mijn werk, ook al breng ik er nauwelijks iets

van terecht. Ik doe alles verkeerd en maak daarenboven voortdurend ruzie met pa over de kleinste details. Hij heeft mij, net zoals
al zijn kinderen trouwens, altijd met alle mogelijke klussen ge-
holpen. Vroeger vormden wij een hecht duo en ik was blij wanneer hij nog eens langskwam, want ik hield ervan om samen met
hem allerlei karweitjes op te knappen. Nu lijkt het wel of we twee
dwangarbeiders zijn die geen andere keuze hebben dan elkaar te
tolereren en hopen dat de opgelegde arbeid zo vlug mogelijk gedaan is. Mijn lijf doet overal pijn en het zweet gutst van mijn rug.
De vochtige kilte van de herfst is overal en ik weet dat ik straks
weer een ontsteking in mijn wervels heb die me een halve week
zal kosten. Maar ik zie geen mogelijkheid om me nog beter te kleden en niet nog meer te zweten. Pa begrijpt niet dat de zweet-
druppels uit mijn haar blijven biggelen bij iedere schroef die ik
indraai.

Eigenlijk denk ik dat hij niks begrijpt of wil begrijpen van
mijn ziekte. Hij is er vast van overtuigd dat je zo weinig mogelijk
over kwalen moet spreken, dan bestaan ze ook minder. In zekere
zin heeft hij daar gelijk in, maar hij drijft zijn opvattingen over
gezondheid wel erg ver door. Omdat hij zelf zoveel heeft meege-
maakt en daaraan zo weinig mogelijk herinnerd wil worden, probeert hij het menselijk tekort te negeren, alsof hij het op die manier kan wegkrijgen. En ook dat is niet waar, want hij gaat nog
iedere zaterdagochtend in het bejaardenhuis mensen helpen die
niet meer alleen kunnen eten. Hij zegt soms dat hij ze voor zijn
ogen ziet sterven. Ik heb me er echter bij neergelegd dat ik nooit
aan pa zal kunnen vertellen hoe ellendig ik me soms voel – hij zal
immers honderd jaar worden, en daar kan ik niet tegen op.

Het nieuwe tuinhek is niet klaar en voor de bibliotheekkast
hebben we wellicht nog een week extra nodig. Wanneer pa
's avonds zijn gereedschapskist op de achterbank laat neerploffen,
betwijfel ik of we die laatste klus nog wel samen zullen afwerken.
Ik kan niet meer, ik kan hem niet meer volgen en hij – om andere
redenen – mij ook niet meer. Bij het afscheid aan het halfvoltooi-
de poortje kijk ik hem aan: leeg en vreemd, omdat ook mijn ogen
vandaag weer pijn doen en hevig branden. Hij durft niet zien hoe

ziek ik ben en met een van zijn gevleugelde boutades maakt hij een einde aan heden en verleden en zegt: 'Maar immer weiter, dappere Belgen...'

Ik knik naar hem en zie hoe goed hij nog is, hoe vlot hij de bocht naar de steenweg neemt, op weg naar zijn eigen gezondheid: de weg waarover hij zich gelukkig nog altijd geen vragen hoeft te stellen.

Nog voor hij op de ring is, lig ik al in bed. Er is weer een tijdperk afgesloten en ik sluit mijn natte ogen.

➞⤶

Het was avond. De dag was heel langzaam voorbijgegaan: de tijd van een sombere, onveranderlijke, grijze vlek achter de hoge klasramen van de Broederkesschool. Ik had thuis mijn huiswerk gemaakt en was nu alleen op de grote speelplaats van de Ambachtschool. Jan had geen zin om basketbal te spelen en Anton en Jean-Pierre waren ook niet komen opdagen. Ik stond achter een pilaar van het werkhuis en hield me stil. Ik keek of er geen mussen of spreeuwen naar broodresten kwamen zoeken in de vuilnisbakken die overal tegen de muren ophingen.

Er kwam een kleine zwerm mussen aangevlogen. Eerst maakten ze nog een rondje boven het basketbalveld, maar daarna streken ze aan de overkant, luidruchtig schetterend neer, op de rand van een vuilnisbak. Ik hield mijn adem in en bleef stokstijf staan tot de laatste mus in de bak verdwenen was. Ik schoot vooruit, snel en geruisloos, trok al lopend mijn trui uit en ving de nietsvermoedende vogels in hun stalen valkuil. Ik had geleerd om – eenmaal de prooi gevangen – geen enkele vogel vanonder mijn trui te laten ontsnappen. Hoe scherp ze ook in mijn hand en mijn bovenarm bleven pikken, ik wist dat ik de krijsende vogels stil kon krijgen en hun flapperende vleugels in bedwang kon houden. Ik wou ze geen pijn doen, ik voelde hun dunne pootjes en hun kleine vogelhart driftig tussen mijn vingers kloppen. Ik wachtte geduldig tot de laatste vogel roerloos bleef liggen op de bodem van de vuilnisbak. En toen, voorzichtig – alsof ik ze nooit bang had willen maken – trok ik eindeloos langzaam mijn arm omhoog, haalde beetje voor beetje mijn trui weg en wachtte, gehurkt onder de stalen bak, tot de laatste vogel weer was weggevlogen. Het waren er zeven, ik had ze allemaal geteld.

>⁣<

Ik ben zelf in een grote vuilnisbak gesukkeld en het begint meer en meer tot me door te dringen dat het hier altijd donker is en dat er een loodzware hand op mijn nek en mijn schouders blijft wegen die me voorlopig niet meer wil loslaten. Sedert *Te moe om te sterven* op televisie kwam, nu een maand geleden, ben ik nauwelijks nog buiten geweest. Er is diep in mij iets veranderd en ik besef nog maar nauwelijks hoe totaal die verandering wel is.

Tot op vandaag was ik geregeld ziek, moe, ja zelfs doodmoe, maar er was altijd nog de ommekant van die naargeestige medaille geweest: beterschap. Ik was immers nog altijd – in een klein oplichtend deeltje van mijn somber gemoed – blijven geloven dat ik ook weer sterker kon worden, dat ik na deze moeilijke periode weer aan de slag zou kunnen, dat ik nog altijd mijn werk had bij de omroep, hoe onwaarschijnlijk moeilijk me dat soms ook leek. Nu echter voel ik voor het eerst dat mijn lichaam iedere dag meer en meer verschrompelt, dat dit uitgeput omhulsel een lege zak is geworden zonder skelet, zonder ruggengraat. Al wekenlang zoek ik hopeloos naar een glimp van wat 'een heel klein beetje energie' genoemd zou kunnen worden. Maar elke ochtend is hetzelfde: leeg en volkomen uitzichtloos. Ik moet me uit mijn bed slepen – als ik dat al doe – en vergeten dat ik sinds gisteren weer vijf jaar ouder ben geworden.

Ik moet stilaan toegeven dat er iets gebroken is, dat ik al een week lang, geen enkele reden heb om nog kleren aan te trekken, omdat ik niet meer weet welke kleren dan wel, en voor wie. Ik heb me de laatste dagen gedwongen om over het woord 'identiteit' na te denken en wat dat dan voor mij zou kunnen betekenen. Vandaag weet ik niet meer wie ik ben, wat ik was, wat ik wou...

><

De middagvoorstelling zou over vijf minuten beginnen en ik haastte me door de lawaaierige uitgaansbuurt achter het station van Antwerpen. Aan de bioscoop stond niemand meer en ik was al bang dat ik toch nog de verkeerde trein had genomen. Tot mijn verbazing zaten in de halfdonkere zaal amper twee koppeltjes en de film was nog niet begonnen. Ik zocht een plaatsje helemaal achteraan en nestelde me in mijn zetel voor 'Un homme et une femme: de ontroerendste, meest dramatische liefdesgeschiedenis van onze tijd.'

Ik had me nog nooit zo verward gevoeld: over enkele weken zou ik het internaat verlaten en ik had er geen flauw idee van wat ik daarna met al mijn opgespaarde idealen en verwachtingen moest aanvangen. De school was me te benepen geworden en alhoewel we jarenlang klaargestoomd waren om grootse dingen te doen, voelde ik alleen maar onzekerheid en een knagend gevoel. Ik wou best geloven dat we allemaal geroepen waren voor een nobel leven, maar ik voelde vooral dat ik mijn leven met iemand moest delen, iemand van wie ik zou kunnen houden, iemand waarover tot nu toe, niemand ooit gesproken had. De film begon en ik verdronk meteen in de donkere ogen van Anouk Aimée, in haar ontwapenende, weemoedige glimlach. Ik was ondersteboven van de passie van een man en een vrouw, van hun onmogelijke liefde, van het gemis dat ik diep in mezelf herkende. Ik had de indringende, nostalgische filmmuziek al eerder op de radio gehoord, maar hier alleen in het donker werd het me opeens allemaal te veel. Het leek wel alsof de film speciaal voor mij gemaakt was, alsof de erotische spanning en het bewogen liefdesverhaal voor mij alleen bestemd waren, alsof alles schreeuwde dat ook ik alleen zou achterblijven. Mijn keel zat dicht en ik kreeg herhaaldelijk de tranen in mijn ogen.

Toen ik na afloop verdwaasd op het perron stond – ik had geen zin om nog langer in de stad te blijven ronddwalen – voelde ik me intens triest. Ik vond het vreemd dat er nergens reizigers waren, dat niemand op de wachtende trein stapte, dat ik weer alleen was. Het leek alsof ik droomde, alsof de tijd en de geluiden een fractie te laat kwamen hier in dit grote station, in deze stad – die niet echt bestond.

De coupé was leeg, ik ging zomaar ergens bij een raam zitten. De trein vertrok en ik zag de film weer voor mijn ogen. Het begon te schemeren en toen ik merkte dat de laatste voorsteden uit het beeld verdwenen, kreeg ik het pas echt moeilijk. Ik wou dat er iemand was, dat er een meisje naast me zou komen zitten waarmee ik zou kunnen praten over het immens verdriet dat ik voelde, over een eenzaamheid die ik vroeger nooit had gekend. Buiten, over de donkere velden, viel dunne regen in grijze slierten naar beneden. De rit was eentonig en het treinstel begon hotsend en botsend over de versleten spoorlijn heen en weer te schommelen. Ik zat weggedoken in een hoek van het houten bankstel en probeerde de ruwe schokken zo goed mogelijk op te vangen. Ik werd misselijk. Diep in mijn buik begon een wee gevoel te knagen, ik had een mooie film gezien en ik voelde me rot. Ik staarde in een schimmige duisternis, een onherkenbaar landschap vol vage vlekken dat somber en traag voorbijschoof. Ik zag mezelf in het raam en daarachter, dieper in het donker, de scène op het strand; hoe ik naar haar liep, en zij naar mij. Twee mensen die elkaar hadden gevonden in een eindeloze omarming en rondtolden in een carrousel van innigheid en liefde.

De trein stopte in Aarschot. Kleine, glinsterende straaltjes water liepen langs het raam naar beneden, als de tranen van Anouk Aimée, die me van achter het glas aankeek: troosteloos en diepbedroefd.

➤❮

| *22 november 1997* |

Ik heb veel pijn, al wekenlang. Dit zijn de moeilijkste dagen. Het leven rondom mij valt uit – omdat ik stilval. Ik word afgeranseld, ben te moe om me te verbergen, heb lamme spieren en nutteloze gewrichten, ik wil weg, nu, altijd. Leo is gekomen en zegt dat ik me opnieuw in het ziekenhuis moet laten onderzoeken.

>‹

'Dit is heel even ongenaam,' zegt de vriendelijke neuroloog, terwijl een stroomstoot door mijn enkel schiet. Hij tikt iets op het toetsenbord en kijkt naar zijn computerscherm. 'Dat ziet er goed uit.' Het elektrische pistool schuift nu hogerop, tot bij mijn knie. De ontlading komt en mijn been slaat onwillekeurig opzij, als bij een marionet die van bovenaf een snok krijgt.

'En dat is ook een duidelijke reactie,' zegt de dokter, terwijl hij de afstand meet tussen enkel en knie. Het lijkt alsof hij tot zichzelf spreekt wanneer hij zegt: '350 mm.' Hij tikt de afstand in het apparaat in. Nu begint hij aan mijn linkerbeen.

'Er is nog altijd voldoende spiervolume, maar u moet het wel meer benutten, en dat is blijkbaar niet zo gemakkelijk,' zegt hij, terwijl hij een naald in mijn enkel prikt.

Ik zie hoe hij de naald voorzichtig beweegt. Er komt een klein bloedpuntje op mijn voet.

'Als ik maar wat meer energie had. Op sommige dagen zak ik gewoon door mijn rug, alsof mijn wervels gekookt worden en los op elkaar liggen.'

Hij kijkt me begrijpend aan en duwt de naald in een spier die naar mijn knieschijf loopt.

'Beweeg uw tenen eens naar boven.'

Ik hoor een vreemd, donker geruis, alsof er iemand over een microfoon wrijft.

'En nu stil houden en totaal ontspannen.'

Er komt een onregelmatige bieptoon uit het toestel, en ik zie dat hij goedkeurend knikt. Hij verwittigt me telkens wanneer het onderzoek even pijnlijk wordt, maar ik voel alleen maar lange, scherpe priemen in mijn rug en de uitslaande brand in mijn benen – een kwelling die hopelijk ook zichtbaar is in een letsel ergens in mijn bekken, een duidelijk mankement dat ook hersteld kan worden.

'Het is het verhaal van de kip en het ei,' zegt hij. 'Wat was er eerst: de rugpijn als gevolg van uw degeneratieve artrose of uw chronische vermoeidheid die die pijn versterkt?'

Ik denk: pijn is pijn, en kijk naar het toestel. Ik zie dat het *Viking* heet en vraag me af welke idioot zoiets verzonnen heeft. Ik mag mijn kleren weer aantrekken en weer op de stoel gaan zitten. Ik ken de uitslag al.

'De meeste mensen zouden blij zijn dat het onderzoek negatief is en dat ze bijvoorbeeld niet voor een hernia geopereerd hoeven te worden, maar in uw geval ligt dat natuurlijk anders, u zou graag hebben dat we iets anders vinden dan artrose en chronische vermoeidheid?'

'Als dat even zou kunnen, ja...' fluister ik mezelf moed in.

Hij zucht opnieuw en bekijkt de foto's van de laatste jaren: grijze vlekken tegen een lichtbak, het dagboek van een belaagde ruggengraat.

'Sterk vernauwde tussenwervelruimte... sclerose van de dekplaten...papegaaienbekjes, allemaal artrose,' – hij zucht – 'er is wel een uitstulping zichtbaar op deze wervelschijf, maar nog geen afgebakende hernia. Ik vrees dat geen enkele neurochirurg aan zo'n operatie zal beginnen.'

De man zit er blijkbaar zelf mee dat een heelkundige ingreep weinig beterschap zal garanderen en dat hij me dan ook geen goed 'slecht nieuws' kan geven. Hij wacht of ik nog iets wil vragen – ik zwijg – dan slaat hij mijn dossier dicht en zegt:

'Massage kan natuurlijk altijd verlichten, of misschien de pijnkliniek.'

Ik dank hem voor zijn goede zorgen en als ik al bij de deur ben, zegt hij bij wijze van afscheid:

'Als ik u was, zou ik de dagelijkse hoeveelheid Dafalgan Codeïne toch maar verdubbelen.'

Wanneer ik het Academisch Ziekenhuis verlaat begint het al te schemeren. Weer geen stap verder. Ik vraag me af hoe dikwijls ik hier de voorbije tien jaar geweest ben. Het maakt geen enkel verschil.

Ik denk aan de afscheidswoorden van de neuroloog: 'Als ik u was...'

Maar niemand is mij, behalve ikzelf en zo slecht sta ik er nu toch ook niet voor. Ik kan nog stappen en – als ik niet te duizelig ben – nog autorijden ook. Ik ga dan wel achteruit, maar zeker niet zo erg als Annelies. Als zij hier voor een onderzoek komt, is het in een rolstoel.

Ik vat weer moed, want ik ben blij dat ik niet met haar hoef te ruilen... 'Als ik u was.'

's Avonds rij ik naar Kim, haar gordijnstok is uit de muur gevallen. Ik kijk naar de gaten in het hagelwitte pleisterwerk en probeer de losse pluggen uit de muur te peuteren. Haar studiootje is gloednieuw, kraaknet gepleisterd en fris geschilderd. Ze woont hier nu al een paar maanden alleen in een volledig afgewerkt appartementje, met alles erop en eraan – alleen de gordijnstok ontbrak nog en die zou ik wel even tegen de muur schroeven. Maar zelfs dat kan ik blijkbaar niet meer. Kim weet dat ik het toen al een rotkarwei vond en dat ik geen geduld meer heb. Ze klimt een beetje bang op haar nieuwe laddertje, vlak naast mij.

'Straks moet je tegen mijn elleboog duwen, want we gaan hier een grotere plug gebruiken en die moet er een flink stuk dieper in.'

Kim zucht en ik durf haar niet zeggen dat ik dat dieper wellicht niet meer haal, dat op een ladder staan er eigenlijk al te veel aan is en dat ik me schaam voor zoveel gedoe omwille van één plug. Wanneer ik mijn Black & Decker in de muur ram, voel ik hoe mijn spieren water worden en al mijn energie uit mijn armen klotst. Kim duwt en de steenboor zoekt zich een weg door het beton, mijn rug is drijfnat en ik moet opletten dat ik niet van de ladder donder.

'Voilà, en zeggen dat jij en ik ooit nog een volledig tuinterras hebben aangelegd, weet je nog?'

Kim weet maar al te goed wat we allemaal samen konden. Ze geeft me de pluggen aan, de gordijnstok en de schroeven, en ik probeer alles terug op zijn plaats te krijgen – een titanenwerk. De ladders moeten herhaaldelijk verschoven worden en na iedere ingedraaide schroef vallen mijn armen als loden staven naar beneden. Ik zweet overal tegelijk en duizel telkens ik opnieuw naar boven moet. Ik wankel. Kim duwt me herhaaldelijk met mijn benen tegen de treden, ze volgt al mijn moeizame bewegingen. Bij iedere onderbreking houdt ze zich stil en kijkt een beetje angstig toe of ik nog wel verder kan. Wanneer de stok na een kwartier gepruts en geklungel eindelijk bevestigd is, hoor ik haar opgelucht ademhalen.

'Zou ik later boven de tafel ook een schilderij kunnen ophangen?' vraagt ze voorzichtig, terwijl ze me weer naar de begane grond loodst.

'Zeker,' hijg ik dapper, 'daar zullen we de volgende keer wel eens voor zorgen.'

Ik hoop maar dat het beton daar wat toegeeflijker zal zijn. Ik sta nog altijd op mijn benen te trillen en kijk naar Kim.

'Ga zitten,' zegt ze, terwijl ze een stoel bijschuift en me een glas Hoegaarden uitschenkt – ik kan nauwelijks geloven dat die kleine, altijd lachende krullenbol nu alleen woont, en moeilijke zigeuners en woonwagenmensen uit hun problemen probeert te helpen.

Mijn hart begint eindelijk wat trager te kloppen en ik voel weer een tinteling in mijn armen. Kim is tevreden dat we het samen hebben klaargespeeld; dat alles ogenschijnlijk stevig op zijn plaats hangt en vooral dat ik niet kwaad ben geworden, want bij de minste tegenslag ben ik tegenwoordig meteen razend en vaak ongemeen agressief. Ik ben blij dat dat niet gebeurd is – vooral niet hier, bij haar.

'Voel je je al wat beter, papa?'

'Natuurlijk, meisje,' lieg ik, en ik geef haar een zoen.

><

Ik heb me voorgenomen om iedere dag iets te doen, hoe weinig ook. Waarom kan ik dat vandaag dan niet? Waarom wil die voortdurende vermoeidheid niet eens voor één dag wijken? Wat doet die zure pijn in mijn lijf zo onblusbaar schrijnend uitstralen, uur na uur, dag na dag?

Het is al tien uur in de ochtend. Ik moét opstaan en me aan-kleden. Eigenlijk zou ik een bad moeten nemen en mijn haar wassen, het is al meer dan een week geleden. Vroeger kon een heetgloeiend bad, na een lange werkdag, alle vermoeidheid weg-spoelen en een nieuwe, zalige loomheid over me uitsmeren, waar-door ik zo onder de dekens kon en meteen insliep. Nu zie ik erte-gen op om in bad te gaan, omdat ik mijn haar moet wassen, wat ik eigenlijk niet meer kan. En toch verlang ik naar zo heet mogelijk water waarin ik de schroeiende brand in mijn gewrichten even niet meer voel; waarin de stekende pijn in mijn armen en benen verdampt in koele wasem tegen de witte tegels. Ik zal naar de bad-kamer gaan, maar eerst moet ik uit mijn bed geraken. Hoelang ben ik daar al mee bezig?

Ik heb, ondanks de slaappillen, weer in schijfjes geslapen. Ik heb de nacht in stukken gesneden, ben naar beneden gegaan voor een pijnstiller, gaan slapen en weer opgestaan, hoe vaak weet ik niet meer. Hoe laat is het? Hoe moet ik weer uit dit bed rollen? Ik leg me op mijn zij, maar mijn rug draait niet mee. Terug op mijn rug dan maar. Ik begin te zweten. Eerst moet mijn rechterbeen omhoog, maar het vuur in mijn dij is nog te groot. Wachten. Waarop? Ik probeer het nog eens, nu met mijn twee handen in mijn knieholte. Het been plooit naar boven, de spieren onderaan in mijn rug gaan scheuren. Wachten, en daarna opnieuw probe-ren. Elke ochtend weer heb ik een bekken van beton, elke och-tend moet ik het breken en vergruizelen. Daar gaan we: er kraakt iets in mijn rug, een nieuwe stroomstoot flitst door mijn dijen – maar deze keer kan ik het verdragen – ik ben kantelbaar. Ik duw en ik lig op mijn zij. Nu moet ik me helemaal op mijn buik rollen en me opduwen. Verdomme, ik ben het donsdeken vergeten. Waarom is dat zo zwaar? Ik duw me omhoog op handen en voeten, met de slaaptent over me heen en wacht – ik ben een hond onder ganzenveren. Eerst nog even bijkomen en mijn rechtervoet over de rand van het bed schuiven. Weer bijduwen en verderschuiven, mijn voet is al op de grond. Nu achterstevoren eruit, helemaal uit het bed, gelukt. Ik zit op handen en voeten op de plankenvloer – ik ben een hond die in de slaapkamer van zijn baasje wakker wordt. Weer even wachten, en dan rechtkomen. Ik zeg tegen mijn hersens dat ik nog meer spieren heb en dat ze nu moeten werken. Nu. Beetje voor beetje richt ik me op: mijn rug scheurt in twee stukken, mijn benen janken en mijn dijen vlammen – ik ben een huilende hond op zijn achterpoten. Ik zweet en duizel. Ik moet doorgaan en bewegen, tot bij de verwarming, daar kan ik op leunen. Even herpakken en nu een eerste keer vooroverbuigen – een stijve groet aan de nieuwe middag – langzaam en voorzichtig. Het lukt.

Mijn voeten zoeken twee pantoffels. Verdorie, ik heb ze vannacht verkeerd neergezet, de opening zit tegen de muur. Dus, mijn tenen in de opening steken en een halve draai geven. Dat lukt niet. Dan maar zonder sloffen, want ik kan ook sloffen zonder sloffen. Op weg naar de badkamer dus, en niet in de spiegel van de kleerkast kijken – er is niks te zien. Nu de slaapkamerdeur open en de bovenhal oversteken, het gaat al beter. Zie je wel. Daar ligt de badkamer. Ik moet dringend plassen: de knoop gaat los en de broek valt op mijn voeten. Ik ga op de pot zitten. Mijn kop draait. Beneden loop ik leeg en vanboven buig ik langzaam voorover. Mijn ellebogen steunen op mijn knieën en ik leg mijn duizelkop in mijn handen. Ik sluit mijn ogen en blijf een tijdje zitten, ik zweet, maar toch gaat het beter. Even lucht bijpompen, want nu moet ik weer rechtkomen, rechtstaan, pyjamajas uittrekken en de badkraan opendraaien. Wie heeft die kraan zo fel dichtgedraaid? Eindelijk. Walmend water dat in stoomwolkjes op het email kletst. Ik leun, met beide handen op de badrand, over de kuip – hete damp die tussen mijn haren kruipt en deugd doet. Het bad is vol. Zal ik op mijn knieën gaan liggen en zo mijn haar wassen, want dan hangt mijn hoofd voorover en hoef ik mijn armen niet te tillen? Nee, ik wil in het bad, het water overal voelen, en even de pijn doen smelten, alles even heet doen gloeien als het water om me heen.

Been omhoog dus, over de rand. Gelukt. Ander been volgt, ook gelukt. In bad. Ik moet achterover liggen, want rechtop zitten is nu nog té recht, nog té vroeg. Even liggen mag nog, en dan niet te lang meer wachten met mijn haar, want straks kan ik dat niet meer.

Toch nog heel even blijven liggen. Zalig. Zo verdrinken, warm en zonder je eigen lijf te voelen, zou niet eens zo erg zijn...

Maar ik moet eerst mijn haar wassen. Nu, of het is te laat, en dan moet ik An roepen om me te helpen – ik wil niet dat ze me vandaag helpt. Ik probeer me recht te trekken aan de badrand en onmiddellijk begint mijn hart in mijn keel te kloppen. Ik krijg het verstikkend warm. Mijn eigen fout, met zo'n heet bad. Ik ben doodmoe, helemaal leeg, zonder iets gedaan te hebben. Mijn hart bonst en ik snak naar lucht, ik geraak niet recht. Dus, blijven liggen en wachten tot het water lauw wordt, tot ik weer pijn voel in mijn rug en lucht krijg in mijn longen, tot ik weer iets kan. Maar hoe zal ik straks mijn haar nog kunnen wassen? Ik heb geen kracht meer. Ik kan mijn armen niet meer zolang boven mijn hoofd houden. Ik kan de shampoo niet meer door mijn haren wrijven. Ik zal alles in verschillende beurten moeten doen. Dat moet ik toch nog kunnen? Straks, als mijn hart... Mijn hart klopt veel te fel... Waarom nu opeens zo fel? Ik heb nog niks gedaan en waarom voel ik het nu zo snel, zo fel? Geen tachycardie krijgen, nu vooral geen razend kloppend hart... Ik wil er niet aan denken dat dit hart nog altijd te snel klopt... nergens aan denken... Eerst ademen, dieper nog, en wachten, ook al zuigt het water stilaan mijn laatste spierkracht weg. Het hart is ook een spier, de spier wordt eindelijk moe en klopt langzamer, heel langzaam nu...

Ik denk dat ik straks niet meer recht zal komen, dat ik met mijn zware kop langzaam onderuit zal zakken en mijn nekspieren niet meer hoef te laten tillen. Ik wil nooit meer moeten bewegen, ik wil voor altijd ondergaan in water dat walmend warm is...

><

Pa was tegen zijn zin gaan werken. Na een week nachtdienst, en hoewel hij warm weer best kon verdragen, vond hij de aanhoudende hitte van de laatste dagen maar niks. Hij had zelfs zijn kepie willen thuislaten.

'Dat zou dan de eerste keer zijn,' had moeke gezegd.

'Ik ben een spoorman en geen militair,' had hij geantwoord, 'en met dit weer zet alleen een zot zoiets op zijn hoofd.'

Moeke had zijn tas over zijn schouder gehangen en hem ogenschijnlijk gelijk gegeven. Daarna had ze voorzichtig de stijve spoorwegkepie van de kapstok genomen en het onding zonder een woord in zijn handen gestopt. Pa had nog wat gemommeld, maar hij was te moe om haar tegen te spreken – 't was trouwens het reglement. Zonder haar een kus te geven, was hij naar den Atelier vertrokken. Moeke had de voordeur achter hem dichtgedaan en was naar bovengegaan. Het was stil in huis. Ik lag languit in de sofa van de woonkamer en hoorde haar, vlak boven me, met afgemeten stapjes over de krakende plankenvloer van de slaapkamer lopen. Jos en Gie sliepen al en Jan, mijn oudere broer, was op onze kamer bezig. Hij probeerde al een paar dagen – precies zoals het in *Jongens en Wetenschappen* beschreven stond – een piepklein transistorradiootje in elkaar te steken. Met zijn eigen zakgeld had hij een week geleden, bij 'den elektrieker' van *Vox-Radio* allerlei onooglijke, gekleurde draadjes en cilindertjes gekocht. Hij beweerde dat hij met een doodgewoon oortelefoontje net dezelfde signalen zou kunnen ontvangen als onze grote radio met lampen. Hij had echter nog geen enkel signaal 'ontvangen', en ik geloofde er niks van dat er uit zijn sigarenkistje met kriskras aan elkaar gesoldeerde transistors ook maar enig geluid zou komen. Ik keek vanop de sofa door de achterdeur van de keuken naar buiten. Het begon al een beetje donker te worden. Ik hoorde moeke, met haar hand op de trapleuning, voetje voor voetje naar beneden komen.

Ze was nu in de gang, deed de kelderdeur open en nam een brood van een van de planken. Ze kwam de keuken binnen, deed het licht aan en zuchtte diep, ze had het warm. Vanuit de schemerige woonkamer zag ik haar bij de keukentafel staan – over haar roze onderjurk had ze een flinterdunne kamerjas aangetrokken. Ze zuchtte weer, legde het brood op de tafel en begon nu onze boterhammen te smeren – de boterhammen van de televisie, van 'Het lekkerste brood ter wereld: het Expo 58-brood!'

Omdat ze 's avonds zo vaak alleen was, had pa – amper een jaar na Professor Braunske – een van de eerste televisies van de wijk gekocht: een Grundig. Toen de metershoge, draaibare antenne op de nok van ons dak werd geplaatst, was de hele straat komen kijken. Auwerckx, onze moeilijke buurman, had iedereen tot getuigen opgeroepen dat 'dat ding', gezien de overheersende windrichting, bij de eerste herfststorm gegarandeerd op zijn dak zou vallen. Maar nu was het nog altijd zomer en iedere dag keken we naar *Brussel-Vlaams*, naar de televisiereportages over de Wereldtentoonstelling in Brussel, en naar filmpjes over vreemde volkeren en verre, onbekende landen. De uitzendingen begonnen trouwens vroeger dan op andere dagen en Nonkel Bob en Tante Ria hadden de donderdagnamiddag zelfs een speciaal 'Jeugdprogramma', rechtstreeks vanuit het Belgisch paviljoen. Een grappige, onverstaanbare bakker had er een paar weken geleden getoond hoe het nieuwe Expo-brood werd gemaakt en uitgelegd dat er ook mooie prijzen mee te winnen waren. Amper één week later kocht moeke – 'om eens te proberen' – het eerste Expo-brood. De bakker had haar gemakkelijk kunnen overtuigen, omdat het op de televisie was geweest. En wij maar zeuren dat onze vriendjes, Anton en Jean-Pierre dat allang hadden! De bakker had gezegd dat moeke moest meegaan met de moderne tijd, want als ze misschien ook al een ijskast had, dan zou hij haar terzelfder tijd ook het speciale Expo-ijs kunnen leveren: 'Een nieuw, vierkant modelleke, Madame, in drie kleuren en maar één frank duurder dan de gewone frisco's.'

We hadden al wel een ijskast, maar die ijsjes vond moeke toch te duur. Het Expo 58-brood leek in niks op het brood dat wij kenden. Het was in alle richtingen plooibaar en het bleef nog een tijdje wiebelen als je er op duwde. Bovendien merkte je niet eens dat je brood at. Na de school konden Jan en ik, onder het goedkeurend oog van Tant Odile, er gemakkelijk tien boterhammen van eten.

Tant Odile was eigenlijk niet onze tante, het was de tante van moeke. Iedere dag, zomer of winter, haalden we haar na school bij haar thuis op. Ze moest al heel erg ziek zijn om haar dagelijkse visite over te slaan. Tant kon bijna niet meer stappen – waarom wisten wij ook niet: ze was voor ons al altijd erg oud geweest, en daar kwam nog bij dat ze doof was én halfblind. Dat was haar tijdens een bedevaart in Lourdes overkomen, waar ze te lang, op de snikhete 'Esplanade' in de volle zon had gestaan.

'Ons Lieve Vrouwke heeft het zo gewild,' was haar enige commentaar.

Dat 'ophalen' van Tant was een bijzonder trage 'begankenis'. Jan en ik moesten haar stevig ondersteunen: een kwartier geslof voor nog geen vijfhonderd meter. Om de haverklap stonden we stil door haar moeizaam stappen en haar onzeker geschuifel bij iedere hoge stoeprand. Ik voelde me telkens opgelucht en was tevreden (de 'goede daad' van Baden Powell) als we weer onze eigen stoep haalden, dan waren we bijna thuis. Bijna, want dan moesten we haar nog – met kleine schokjes tegen haar malse billen – omhoogduwen, de deurtrap op, en daarna haar stuurloze, logge lijf door de donkere gang naar de 'living' laveren, waar Tant doodmoe achteroverplofte in een hoek van de sofa. 's Avonds, wanneer zij en moeke 'uitgepraat' waren, trokken we haar weer voorzichtig uit de sofa. Dan brachten we haar – opnieuw dezelfde 'begankenis' – naar het statige huis van Professor Braunske, bij wie ze al meer dan vijfentwintig jaar 'als maagd diende'. Tant beschouwde ons als haar eigen kleinkinderen. Ze had jarenlang voor moeke gezorgd, toen die als jong meisje, door verschillende longspecialisten uit de provincie ongeneeslijk ziek was verklaard. Uiteindelijk had Tant voor haar pleegdochter een dure behandeling met goudstof betaald, waardoor moeke toch nog gedeeltelijk genas. We hielden veel van Tant Odile: ze was goedmoedig en gul.

We leefden ook wel met haar en haar 'gehandicapt zijn' mee – al wisten we nooit zeker wàt en hoeveel ze nog precies kon zien of horen. Tant kloeg weinig, maar moeke zei dat ze amper nog haar eigen voeten kon zien en dat ze noodgedwongen had leren liplezen. Ze keek nog iedere avond, samen met Professor Braunske, naar het televisiejournaal. Dan zat ze naast de 'post', op een halve meter van het scherm, en aan de mond van Armand Pien kon ze dan zien dat het 's anderendaags ging regenen.

Ik keek naar moeke, ze was gestopt met smeren, ze hapte even naar lucht. Met haar twee handen op de tafel steunend, boog ze haar bovenlijf langzaam voorover en liet ze haar hoofd hangen. Ik wist niet of ze vermoedde dat ik hier in de duistere woonkamer – zo dicht bij haar – vanuit de sofa naar haar lag te kijken. Ze begon nu zwaar te ademen en wiste met de bovenkant van haar hand haar voorhoofd af. Ze kon niet tegen de warmte. Ik had medelijden met haar en wou haar helpen. Maar, alsof iemand anders haar moed insprak, zag ik dat haar gezicht opeens veranderde. De verbeten trek op haar lippen ging zachtjes over in een gelaten, weemoedige glimlach. Het leek alsof ze ineens aan iets dacht wat goed en mooi was. Ze haalde nog een laatste keer diep adem en smeerde verder.

Ik kroop uit de ligzetel en ging stilletjes naar haar toe. Toen ik bij haar aan de keukentafel was gekomen, bekeek ze me heel even. Ze was moe, maar glimlachte. Ze was niet verrast, ze wist blijkbaar dat ik haar al die tijd had gadegeslagen. Ik twijfelde er niet aan dat ze ook wist hoe diep Jos en Gie nu in hun slaap verzonken waren en hoever Jan opgeschoten was met zijn wonderradiootje. Moeke wist alles. 'In de hemel, op de aarde en op alle plaatsen,' dacht ik. Ik keek naar de Expo-ster op de bijna lege broodzak.

'Als we honderd sterren gespaard hebben, krijgen we een Expo 58-bal!'

'Honderd broden voor één bal,' zuchtte moeke. 'Onze bakker weet wel wat hij verkoopt.'

Jean-Pierre was al aan zijn tweede bal toe, omdat hij de godganse dag alleen nog maar Expo-brood at: geen aardappelen, geen groenten en geen soep meer. Hij woonde twee huizen verder en was, na Anton, onze 'tweede-beste vriend', ook al was hij 'strontbedorven'. Hij zei me – de leugenaar – dat hij soms zelfs zijn dessert liet staan om nog meer boterhammen te kunnen eten. Toen ik dat aan Jan vertelde, zei hij: 'Jean-Pierre Proesmans is een "fantast".'

'Dat heb je met nakomertjes,' had moeke eens tegen Madame Proesmans gezegd. Ik begreep niet wat ze daarmee precies bedoelde, maar hij mocht in ieder geval alles van zijn ma.

Ik legde mijn hoofd op de keukentafel en keek naar de zo begeerde, blauwe ster. Boterham na boterham zakte ze dieper en dieper weg in de plooien van de lichtgrijze broodzak. Weer griste moeke twee sneetjes uit de zak; smeerde er met drie zwierige messenvegen de gele margarine op; plakte het dunne beleg ertussen en metste zo een alsmaar hoger wordend, nieuw Expo-brood. Ik telde de laagjes cement tussen de boterhammen: kaas, hesp, paté, worst, kaas, hesp, paté... Al dertien boterhammen! Ik haalde de schaar uit de tweede lade, moeke nam de laatste sneetjes uit de zak. Nog voor ze klaar was met de twee laatste boterhammen met donkere perensiroop – zelf gemaakte stroop van 'Mammeke van Wellen' – had ik de ster al uit de lege broodzak geknipt.

'Drieëntwintig punten, hebben we nu al!'

Moeke lachte, schoof de twee zoetzure 'stroopkentjes' naast elkaar op de tafel en legde daarop de hoge, wankele toren boterhammen, netjes in twee gelijke helften verdeeld. Ze scheurde halve meters vettig grijs boterhammenpapier van de rol en plooide die in een handomdraai rond de twee stapeltjes. Uit de eerste lade nam ze een paar elastiekjes en trok ze vingervlug, in een perfect, haaks kruis over de pakjes heen – ik hield van de scherpe plets op het strakgespannen papier. Daarna grabbelde ze vier Tirlemont-suikers van Tienen uit de Inox-suikerpot, brak ze middendoor en duwde de halve klontjes, krassend en schurend door de smalle teut van onze drinkbussen. Ze nam de nikkelen koffiepot van het vuur en goot de dampend hete koffie, zonder ook maar een druppel te morsen, in onze geblutste padvindersbidons.

'Voilà,' zuchtte ze, 'de nacht zal nog lang zijn.'

Ze keek me weer aan – iets langer nu. Haar ogen waren rood en stonden een beetje raar, vond ik. Er ging iets gebeuren waarvan ze, net als ik, het fijne niet wist.

Jan was intussen naar beneden gekomen, hij zei geen woord over zijn transistor, maar begon me te plagen. Hij probeerde me bang te maken met griezelige spookverhalen over verloren gelopen kinderen die door onbestuurbare treinen overreden werden, middendoor en helemaal onder het bloed.

'Maak u nu maar klaar,' zei moeke.

Geheimzinnig giechelend – alsof we afgesproken hadden om straks stiekem van huis weg te lopen – stopten we de warme drinkbus, de boterhammen, een stuk Jacques-chocola en een grote, glanzende sinaasappel in onze dunne, katoenen rugzakjes. Jan wou al meteen vertrekken en hij trok zijn rugzak over zijn schouders.

'Nog vijf minuten wachten,' zei moeke, terwijl ze de wekker opwond – de tijd die ze straks alleen met Jos en Gie zou doorbrengen, de tijd van een lange nacht. Ze zette de wekker terug op zijn plaats, midden op het marmeren blad boven de Leuvense stoof. Het was nu bijna kwart over negen en toch hing er overal in huis nog altijd een loodzware hitte. Door de open achterdeur, vanuit de afgesloten, schemerige koer kwam een eerste lauw briesje de keuken binnengewaaid. Ik liep naar buiten. Tegen de muur van de druivelaar scheen een gelig licht dat van de hoge schijnwerpers op het rangeerstation kwam, achter 'den Tram'. In de blauwgroene kerselaar van Proesmans floot een merel – zoals altijd in de zomer, wanneer de laatste stralen van de zon achter de Ambachtschool waren verdwenen en ik de slaap niet kon vatten. Zijn getierelier klonk vreemd, onregelmatig en beangstigend. Mijn hart begon feller te kloppen. Ik voelde hoe het schokte en oversprong, eerst dof en vlak onder mijn ribben, daarna een driftig gebons dat scherper was en pijn deed, hoog in mijn droge keel. De merel begon opnieuw te gorgelen, diep en duister in de hoge boom. Ik klapte in mijn handen. De zwarte vogel schrok, fladderde tegen een tak op en vloog toen weg, rakelings scherend over de nog warme, betonnen platen van onze buurman. Ik begon te twijfelen of ik straks wel met Jan zou meegaan.

Achter 'den Tram' reden diesellocomotieven af en aan. Nu de merel niet meer floot, was hun donker gegrom op het rangeerterrein pas goed te horen. Een machinist – misschien was het pa wel? – joeg zijn zware motor schrikwekkend luid omhoog en liet hem onmiddellijk daarna weer in *ralenti* terugvallen. Verder weg, meer naar Runkst, liep een goederentrein het station binnen: een eindeloze reeks van telkens weerkerende, dubbele slagen van zware wagonwielen, die – voor en achter kloppend – over harde wissels gleden.

Ik kende al die geluiden, pa had ze ons allemaal uitgelegd. We hadden met hem al meer met de trein gereisd dan met onze eerste Volkswagen, en vaak ging ik ook nog alleen naar de treinen kijken bij de depot van Bruggen en Wegen. Maar tot vanavond had ik de diesels, de stoomlocomotieven en de wagons nooit écht gehoord, toch nooit zo dichtbij, hier op de lauwe binnenkoer achter ons huis. Ik keek naar de eerste zwakke sterren in de donkerpaarse hemel en dacht aan het firmament van Zwitserland, hoe scherp en helder ze daar iedere nacht weer afgetekend stonden in de zuivere hemel, tussen de bergen van Leysin.

Opeens was de ijzeren drukte weg, alsof alle treinen van Limburg voor eventjes opgebruikt waren om elders lawaai te maken. Alleen nog heel ver, nu al achter het Wissebos, hoorde ik hoe een laatste sliert goederenwagons, ritmisch tokkend op de gladde rails, naar Aarschot of Antwerpen werd getrokken.

'Luk?'

Bijna fluisterend – omwille van Auwerckx – had moeke mijn naam geroepen.

'Luk, het is tijd.'

Ik liet de tuin en de verre trein achter me en liep vlug naar binnen.

'Je moet nu gaan, anders kom je te laat,' zei ze. En tegen Jan: 'Jij moet voor Luk zorgen.'

Ik keek naar Jan en toen naar moeke. Ze was ongerust en zei: 'Wees allebei heel voorzichtig, en doe alleen wat pa u zegt.'

We namen onze rugzakjes en wachtten een beetje onwennig op het afscheid in de keuken. Maar moeke duwde ons behoedzaam naar de deur van de gang en volgde ons, tot aan de voordeur. Ik hoorde haar achter me aan lopen, ze legde haar arm op mijn schouder. Haar blauwe muiltjes schuifelden over de geboende vloertegels en haar kamerjas raakte nu en dan de houten lambrisering. Het was een prettig en veilig geluid. In het vage schemerlicht voor ons uit, achter het 'brobbelglas' van de eiken voordeur, reed de laatste lijnbus voorbij.

'Dag moeke, tot straks.'

Ze knipte het licht in de hall aan en lachte. Ze boog diep voorover en gaf me een dikke zoen, lief en verwarrend. Ik voelde haar zachte lippen op mijn wang en haar volle boezem, dwars door mijn dunne zomertrui. Ik sloeg mijn armen rond haar nek en zei dat we zeker zouden terugkomen. Ze lachte, maar ik zag dat er iets was wat ze niet kon zeggen: iets wat ik ook voelde, maar niet kende – iets wat ik nog altijd voel wanneer ik aan haar denk en nog steeds niet ken.

We lieten haar weer eens achter, deze keer voor een hele nacht, of voor langer? Nee, morgenavond waren we terug bij haar, ik wist het zeker. Met een grenzeloos vertrouwen in de almacht van een vader die met een machine – 'zo groot als ons huis' – kon rijden, wou ik buiten op de trap de voordeur achter me dichttrekken, maar moeke hield ze nog even tegen en lachte weer. Ze zag hoe ik twijfelde, hoe ik aarzelend naar de stoeprand schoof en daar bleef staan. Ze knikte met haar hoofd dat ik moest gaan. Ik wist niet goed hoe ik dat moest doen; straks zou pa ons komen ophalen, weg van huis, en zij bleef hier achter, alleen.

'Ga nu maar,' zei ze.

Ik keek in haar lichte ogen en zag dat het goed was; dat ik kon weggaan zonder haar in de steek te laten. Haar donkerbruine krullen glansden in het gele lusterlicht van de gang. Ze wuifde nog even met haar hand en duwde toen met een zachte klik de zware voordeur dicht. Terwijl ik de straat overstak, keek ik nog vlug even om. Haar nylon kamerjas verkleurde achter het 'brobbelvenster' – een schimmige, zieke vis in troebel oceaanwater, alleen, in een diep en eenzaam donker. Moeke deed het licht in de gang uit, ze ging naar boven, naar hun slaapkamer: de slaapkamer van pa en ma die 's avonds altijd dicht was, de kamer waar we nooit zomaar mochten binnenkomen.

Jan stond een eindje verder ongeduldig te wachten. We liepen samen langs de vettig zwarte gebouwen van 'den Tram' en hoorden hoe een luidruchtig zingende werkman, achter het metershoge stalen rolluik de eerste, vroege bussen proper spoot. Ik dacht aan moeke en aan pa: hoe zelden ze samen waren, hoe weinig ze samen in de verboden kamer met de vreemde geur sliepen.

Jan stapte flink door, ook al lag de depot van Bruggen en Wegen amper tweehonderd meter van ons huis vandaan.

'Pas als je me drie keer hoort fluiten, kom je vanachter het seinhuisje', had pa gezegd. 'En denk erom dat niemand je ziet!'

Het besef van wat misschien wél, maar in feite misschien niét toegelaten was, wond me vreselijk op. Pa had ons overal en altijd geleerd om het domein van het gezag niet nodeloos te overtreden, maar hij durfde evenzeer oude grenzen overschrijden en ze naar eigen goeddunken verleggen. Later vertrouwde Jan me toe: 'Pa is maar een werkman, maar hij is ook een anarchist'.

Ik had geantwoord dat hij gelijk had, omdat ik dacht dat pa inderdaad een bijzondere machinist was.

We kwamen nu aan het eind van de Fabrieksstraat, het was er erg donker en verraderlijk stil. We liepen naar het seinhuisje en gingen plat op onze buik liggen, met onze rugzakjes naast ons in het hoge, kietelende gras.

'Als je je hoofd niet intrekt, ga je niet mee!'

Jan was ontegensprekelijk de wettige plaatsvervanger van pa – maar van pa mocht ik veel meer. Ondanks het nadrukkelijk verbod van mijn broer, gluurde ik naast de muur van het seinhuis naar het zwakverlichte rangeerterrein. Daar, achter de onzichtbare struiken van het Wissebos, waar felgekleurde salamanders roerloos in de stinkende beek lagen, was 'den Atelier'. Uit dat mysterieuze heiligdom van ijzer, stank en lawaai – 'de tempel der treinen' – was pa intussen met zijn kolossale diesellocomotief vertrokken om ons te komen ophalen. Ik kon in de verte al het zware gedreun van zijn enorme dieselmotor horen: tenminste tienduizend paardenkracht! Daarvoor had ik op school zelfs mijn zakmes 'verwed'.

'Hoe weten we zeker dat pa het is?'

'Vijf over tien, is vijf over tien!' fluisterde Jan dreigend. 'En als je nu je mond niet houdt, zal hij niet eens willen stoppen.'

Achter ons, over de kasseien naast 'den Tram', kwam een late spoorman aangefietst. Ik hoorde het kletterend geluid van zijn rammelende ketting tegen de achterkant van het seinhuis weerkaatsen. Toen hij, pal voor onze neus, het grijze sintelweggetje insloeg, futloos trappend naar zijn nachtelijk werk in 'den Atelier', begon mijn hart weer sneller te kloppen. Maar de man trapte nietsvermoedend verder en verdween in het duister achter het seinhuisje. Ik schrok omdat hij een eindje verder opeens naar iemand riep, en ik herkende de stem in het donker die zijn late groet beantwoordde.

Toen begon de grond onder ons lijf te trillen. Een gigantisch monster van ijzer en blikkerend staal stond uitdagend naar ons te grommen, nog geen tien meter van ons vandaan: pa.

Ik wou niet naar hem toe – nog niet – en kneep mijn ogen dicht, diep in het klamme gras. Ik hoorde hem driemaal fluiten. Jan kroop recht, ik bleef liggen. Pa floot opnieuw en ik zag hoe Jan, met zijn hoofd naar beneden, naar de enorme, donkergroene locomotief liep – 'Zo groot als de school! En mijn pa kan daarmee rijden!'

Maar was dat pa wel, met zijn kepie zo losjes vanachter op zijn hoofd en de klep zo onnozel schuin omhoog? Hij leek meer op onze postbode die bijna altijd dronken was, zeker op de dagen dat hij de pensioenen uitbetaalde. 'Dat is een beroepsziekte,' had hij tegen pa gezegd, toen hij weer eens met zijn fiets tegen de stoep was gevallen.

Ik keek opnieuw en zag een vreemde, voor mij onbekende man. Zijn kepie stond zo helemaal verkeerd, vond ik, zo totaal ongepast voor de waardigheid van een treinbestuurder.

'Een treinbestuurder? Dat is een machinist, manneke, die 's nachts moet werken, wanneer uw pa allang in zijn bed ligt!'

En kwam het nu door die kepie? Ik was opeens niet meer bang voor hem. Ik keek in zijn lachende ogen en zag een gekke generaal van 'den IJzeren Weg', minzaam toekijkend vanuit een hoog schietgat in een rijdende burcht. Mijn vader. Hij floot nog eens, zo ontnuchterend en herkenbaar ditmaal, dat ik wel moést komen. Ik nam mijn rugzakje en liep naar de diesel, naar pa. Ik zag het hoofd van Jan grijnslachend in het kleine raampje verschijnen. Ik deed alsof ik hem niet zag, toen ik steilrecht naar boven en doodsbang langs het smalle laddertje omhoog begon te klimmen.

Het was drukkend warm in de stuurcabine en we stonden een beetje onzeker naar pa te kijken. Hij bediende snel, zelfverzekerd en met grote kennis van zaken, allerlei schakelaars en knoppen waardoor de stalen vloer en de wanden begonnen te daveren. Pa riep iets over toerental, en in de machinekamer achter ons, hoorde ik hoe de enorme dieselmotor, zwaar grommend, alsmaar meer op snelheid kwam. Pa trok aan een hendel en knikte even om ons gerust te stellen toen het aanzwellend lawaai oversloeg in een verschrikkelijk luid gebrul. Ik deinsde achteruit, met mijn rug tegen de achterwand, en ik voelde hoe een onmetelijke, nieuwe kracht me vooruitduwde. De diesel was vertrokken.

Pa leek wel blij dat we er waren, hij zag er ook niet meer zo moe uit. Hij nam de kepie van zijn hoofd en duwde hem diep over mijn oren. Toen tilde hij me ineens op en plofte me pardoes op het bestuurderszitje. Ik grinnikte naar Jan.

'Voilà, de jongste machinist van Belgïe!' zei pa, en hij draaide me een paar keer wild in het rond, luid lachend, helemaal anders dan thuis.

Toen ik uitgetold was, zag ik door de voorruit een wirwar van kruisende spoorstaven, houten dwarsliggers en glinsterend metaal: een reusachtige Mikado die telkens veranderde, telkens opnieuw verschoof. Ik bewonderde mijn vader en toch was ik een beetje bang, want ik begreep niet hoe wij hier ooit – zonder te ontsporen – weg konden geraken. Maar pa hoefde – zo te zien – niet veel te doen: hij had blijkbaar alles onder controle. Hij stond vlak achter me, grapjes makend en toch onwankelbaar, klaar om

op ieder ogenblik in te grijpen. Nadat we een tijdje erg traag hadden gereden, trok pa me voorzichtig van het zitje af. Toen ik op
de grond stond, griste Jan de kepie van mijn hoofd en zwaaide
hem ongrijpbaar en tergend hoog boven me uit. Ik voelde me
vernederd en was verschrikkelijk boos, maar wat ik ook probeerde, hij duwde me iedere keer opzij en zette uiteindelijk de kepie
op zijn eigen hoofd. Pa siste dat het moest gedaan zijn, en met
een paar duwen tegen de hendel deed hij de locomotief stilstaan.
Toen schakelde hij opnieuw, en we reden achteruit.

'Ze gaan er nu "de marchandise" aan hangen. Hou jullie nu
heel stil en ga allebei op de vloer zitten, daar naast de kist.'

Voor het eerst zag ik de kist: een langwerpige houten koffer
zoals er thuis in het kot ook een stond, alleen was deze heel wat
smeriger en zeker driemaal zo groot. Pa wachtte tot we helemaal
stil waren en schoof pas daarna het schuifraampje open. Hij keek
naar buiten naar de achterkant van de locomotief, terwijl hij iets
naar iemand riep wat ik niet kon verstaan. Na een paar korte
manoeuvres voor- en achteruit, riep hij weer iets en trok de diesel
met een snok aan de hendel in volle kracht omhoog. De motor
begon te loeien en de locomotief slipte even in de rails. Ik was
blij dat we eindelijk vertrokken waren met een echte trein, met
'marchandise'.

Het rangeerstation lag al vlug achter ons en het spoor boog
nu naar links. We kwamen op een lange rechte lijn die ergens in
een ver punt vertrok, een punt dat altijd verder wegschoof, ook al
reed pa alsmaar sneller. Buiten in de pikzwarte nacht zagen we
enkele verlichte ramen van verre huizen en hier en daar een al-
leenstaande lantaarnpaal. Signalen langs de sporen, als kleine,
groen- en paarsgekleurde kerstballen, schoten op ons af en licht-
ten even op van zodra we ze met grote snelheid voorbij flitsten.
We aten een stuk chocolade en dronken van onze lauwe koffie.
We waren nog nooit zo samen geweest. Pa was heel tevreden en
knipoogde naar ons, alsof we op slag heel wat ouder waren geworden. Hij liet het uitschijnen alsof wij hem met zijn werk hielpen,
hij zei dat de nacht daardoor ook minder lang was. Ik was nog
nooit zo gelukkig geweest.

De tijd bestond niet meer, we zwegen lange tijd en keken om beurten door de raampjes of naar pa: hoe precies en afgemeten hij de machtige trein bestuurde. Ik was trots op hem. Onbewogen op zijn zitje, hield hij het geweldig gevaarte op hoge snelheid en voortdurend recht in de sporen. Waakzaam, met zijn linkervoet op de 'dode man'-pedaal, draaide hij af en toe een schakelaar om, of drukte snel enkele toetsen in wanneer we langs de lijn een 'open' signaal passeerden. Toen zei hij: 'Daar ligt Luik-Guillemins.'

Ik wreef mijn ogen uit en zag in de verte talloze flikkerende lichtpuntjes van paars en rood, groen en oranje. Naarmate we dichterbij kwamen, veranderden de kleuren in een warrig bos van seinpalen, hoge lichtmasten en lage grondsignalen, overal naast en tussen de sporen.

'Daar, aan die watertoren komt er een rangeermeester op de locomotief. Vooruit, nu moeten jullie de kist in!'

Jan en ik wisten meteen wat ons te doen stond. Weken geleden al hadden we het scenario ingestudeerd, maar nu keek pa opeens heel wat ernstiger. De kist stond op een klein verhoogje, tegen de warme, plaatijzeren wand die de scheiding vormde tussen de stuurcabine en het enorme, trillende motorblok. Met zijn tweeën trokken we het deksel van de reusachtige gereedschapskist open, smeten onze rugzakjes erin en kropen zo vlug we konden in de schuilkoffer. Ik keek nog even naar pa, hij schoof voorzichtig zijn zware boekentas op de 'dode man', draaide op zijn zitje een fikse kwartdraai naar rechts, en was toen in twee stappen bij de kist om het kofferdeksel achter ons te sluiten. Hij knikte goedkeurend dat we zijn instructies perfect hadden uitgevoerd en terwijl hij het zware deksel langzaam liet zakken, gaf hij me nog een laatste, geruststellende knipoog. De kist was dicht.

Er was niet zoveel plaats als we eerst hadden gedacht, het was er erg warm en de smoezelige, houten wanden roken naar vettige olie en oud vuil. We reden nu opeens heel wat langzamer. De trein rolde traag en knarsend over eindeloze wissels: aarzelend, alsof hij helemaal alleen zijn weg moest zoeken naar een groot en onbekend station. Even later hoorden we hoe pa de remmen aantrok, de reusachtige wielen onder ons begonnen te janken. Het bruusk gesnerp deed pijn aan mijn oren – hoog en schril, als de vingernagels van Etienneke Joris die ijselijk krasten op het schoolbord van meester Bollen. De trein vertraagde en plots was het enge geluid weg: afgesneden, en nagalmend in de stilte. Een noodkreet in het duister. Een lichte schok en de houten bak schommelde even, waardoor ik tegen de hoekige schouders van Jan schoof. De locomotief draaide nu op *ralenti*. Ik hoorde de zuigers en de kleppen langzaam op en neer gaan als de donkere hartslag van een onbetrouwbaar, slapend beest. Ik rilde. Het was te stil, gevaarlijk stil. Pa riep naar iemand, Jan kneep in mijn arm en ik hield mijn adem in. Toen hoorden we buiten in de nacht een andere mannenstem. We kropen nog dieper weg tussen het kleverige gereedschap onder in de vieze kist. Ik voelde me ingesloten en kreeg het benauwd: ongemakkelijk zittend met mijn rug te lang gekromd en mijn benen in een verkeerde plooi. Onder mijn billen lag een zware ijzeren pook die pijn deed, ik probeerde hem voorzichtig weg te schuiven, maar de kist begon te kraken.

'Jij beweegt te veel,' siste Jan en hij duwde me bruusk met zijn scherpe, opgetrokken knieën tegen de wand.

De deur van de cabine ging open en ik voelde hoe, door een kier van het deksel, een zuchtje lucht naar binnen kwam.

'*Oui,oui…c'est ça…*,' zei pa.

De andere man antwoordde met meer woorden, ook in het Frans. Ik hoorde dat pa weer iets zei en aan de versnellingshendel trok. Het geluid van de motor zwol aan en we reden verder. Ik hield me nog even stil en trok toen mijn verkrampte billen van de pook. Er was bijna geen lucht meer in de donkere koffer en ook Jan begon langzamer te ademen. Ik kreeg weer krampen en steunde met mijn armen op de bodem van de kist, ik duwde de palm van mijn hand in een scherpe, hoekige moer. Het deed pijn. Ik vond het scenario van pa allang niet meer prettig en zeker niet meer spannend: het duurde allemaal veel te lang. Er was vooral te weinig plaats, te weinig licht. Schommelend van links naar rechts botsten we voortdurend tegen elkaar. Het harde geklop onder ons telkens we over een wissel reden, maakte me bovendien misselijk. Ik zoog de hete, stinkende lucht naar binnen en voelde hoe het kleverige gruis onder mijn knieën werd samengeperst. Ik had het warm en koud tegelijk, ik werd ziek.

De 'Fransman' praatte luid en onverstaanbaar en pa beaamde blijkbaar alles wat hij zei. Ik stoorde me aan zijn goedkeurend, bijna lacherig toontje, alsof wij voor hem nooit hadden bestaan en hij meer dan tevreden was met de huidige gang van zaken. Ik schoof mijn rugzakje onder mijn billen en voelde hoe mijn laatste boterham helemaal plat werd gedrukt onder mijn kont. De 'Fransman' tetterde onophoudelijk, hoog boven het geronk van de diesel uit, en pa brabbelde maar wat. Ik was bang dat hij ons voor altijd was vergeten. Ik voelde dat ik moest braken.

We bleven maar verder rijden, nu over een bijzonder slecht en hobbelig stuk van het rangeerstation. Hoe groot was Luik eigenlijk, en kwam er dan nooit een einde aan die telkens wisselende sporen? De lijn werd nog slechter en de kist begon nu – gelijk de 'rups' op de kermis – naar alle kanten te zwiepen. Ik moest eruit. Het kon me niks meer schelen, de rangeermeester niet en ook zijn overstaanbaar, dwaas getetter niet. Ik zou nu meteen uit de kist kruipen want ik moest overgeven, desnoods in een – voor alle kinderen verboden – diesellocomotief van de Belgische Spoorwegen. Tot grote woede van Jan probeerde ik met mijn schouders het deksel open te duwen, maar ik had geen kracht meer, ik kon zelfs niet langer overeind blijven zitten. Ik gleed onderuit.

Opeens schoot de locomotief naar voor, woest kloppend over de staalharde sporen. Alle geluiden waren verdwenen: geen stampende zuigers, geen ratelende kleppen, geen tetterende 'Fransmannen'. Het leek alsof de trein er ook genoeg van had en zichzelf – zonder pa – zou besturen. Op eigen kracht en alsmaar sneller. De trein was werkelijk op hol geslagen! De kist klopte nu onverbiddellijk hard, als de ruitenwissers van onze auto: van links naar rechts en telkens terug. Er was niet de minste lucht meer! Ik begon te stikken en zakte uitgeput en machteloos weg in een hoek van de donkere kist. Ik was heel zeker aan het sterven en wellicht was ik nu al dood. Maar de daverende, dolle machine bleef pijlsnel vooruit denderen in een laatste, waanzinnige dodemansrit en door geen honderd hendels of pedalen nog te stoppen. Ik plaste in mijn broek en mijn maag keerde zich binnenstebuiten. Ineens kwam alles eruit: woede, angst en machteloosheid. Ik riep: 'Pa, help me dan toch! Moeke!'

Maar er was niemand. Niemand zou me ooit nog kunnen helpen, niemand om die radeloze angst en pijn weg te nemen. Toen tilde het stalen monster zichzelf op zijn achterwielen omhoog, de locomotief trok kantelend en knarsend de kilometerslange trein uit de sporen. Dit was een ongeluk! Jan had gelijk, ik had bij moeke moeten blijven. Ik viel in een eeuwig duister zonder begin en zonder einde. Hier was niets meer. Het was er stil en aangenaam. Nu en dan kwam er een trage, verdwaalde lichtstreep op me af, paars en rood tegelijk, en alsmaar langzamer door mijn ogen borend – als de zon in het glasraam van ons noodkerkje, verblindend mooi.

Toen volgde er een verschrikkelijk harde klap.

Ik schoot wakker, mijn hoofd deed pijn en ik lag in een onmogelijke bocht, dubbel gevouwen tegen de voorwand van de kist. Het vuile zweet gleed van mijn bovenlip in mijn mond en ik voelde hoe een smerige, verstikkende angst diep en genadeloos in mijn keel klopte. Jaren later zou diezelfde angst terugkomen in een ondraaglijk zwarte golf van ademnood en vermoeidheid. De angst om nooit meer te kunnen bewegen, voor altijd opgesloten te zitten in een donkere kist, en te stikken. Toen klopte pa op het deksel.

'De kust is vrij!' lachte hij.

Door een smalle kier van de hemel viel een vreemd licht naar binnen.

Verdwaasd en doodmoe zag ik hoe hij met een snok aan de hendel zijn tienduizend paarden de nacht injoeg.

><

5 april 1998

Er is lang geleden een nieuw jaar geweest, vier onderzoeken in het Academisch Ziekenhuis en één tachycardie, waarbij ik gelukkig niet weggevoerd hoefde te worden. Maar verder is er niks gebeurd, niks wat de moeite van het vermelden waard is, tenzij dat we nog leven.

Ik voel me volkomen overbodig en terneergeslagen en moet me er nu wel bij neerleggen dat ik wellicht nooit meer zal kunnen werken. Ik word krankjorum van de pijn en ben totaal versufd door zoveel dagen misselijkmakende vermoeidheid. Waar blijft nu die bevrijdende opstoot van adrenaline? Dat schot van energie dat vanuit mijn hersenen door mijn lichaam knalt en me om vijf uur 's ochtends doet opstaan, boordevol nieuwe ideeën? Al meer dan acht maanden ben ik de weg kwijt, dool ik rond in het allerdiepste dal van vertwijfeling, een dal van gitzwarte wanhoop waaruit blijkbaar geen enkele weg naar boven leidt. Mijn dagen zijn allemaal eendere etmalen: dagen geplet en gemalen, vol trouwe, nimmer aflatende zwaarmoedigheid en lichamelijke ellende. Het zijn de 'pletmalen' waarin niks gebeurt en waarin ik ook naar niks meer uitkijk. Ik ben afgestompt, leef op het niveau van een zuigeling met enkel eten, ontlasten en slapen en ik ben zeer zeker depressief. O ja! Meer en meer verlies ik al mijn zelfbeheersing – welk 'zelf' zou ik nog moeten beheersen? Bij de minste discussie met An en de kinderen wil ik mijn zin krijgen, onmiddellijk en totaal. Ik heb geen kracht meer om de duivel van het grootste gelijk de mond te snoeren, om redelijk te blijven, om ook maar even naar hun argumenten te luisteren. Ik ben totaal ongenietbaar geworden en zou het liefst niemand meer willen zien of horen.

Laat me met rust, laat er geen 'morgen' meer zijn. Dit is geen leven.

➜➜

Het is vijf uur 's avonds. Ik lig op de sofa, nog altijd in pyjama, met daarover mijn kamerjas: het uniform van de vernedering. Mijn rechterbeen hangt over de leuning om mijn bekken onderaan wat open te trekken, om de pijn de weg te wijzen, waardoor hij misschien heel even mijn lijf zou willen verlaten na zoveel maanden aanhoudend gehamer, getrek en geknijp. Hoe stijf kan een nek worden voor hij breekt? Hoeveel meer kunnen de trekijzers rond mijn kuiten nog aangedraaid worden, en de vlijmscherpe schroeven in mijn voeten, net onder mijn enkels? Wie is die akelige, kwaadaardige ziekenbroeder die me iedere ochtend om vier uur in een stalen corset rijgt, elke dag weer wat strakker? Hoelang kan een mens pijn verdragen die niet zichtbaar is, waarvan niemand precies weet waarom hij er is of hoe hij moet bestreden worden?

Toch heb ik een hospitalisatieverzekering afgesloten om andere pijnen – de controleerbare pijnen – te betalen: in geval er tussendoor ergens weer een stuk lies zou scheuren, of een meniscus, of een hartklep... Ik ben nu al meer dan een uur bezig om dat contract te ontcijferen. Dit is weer zo'n dag dat ik geen twee zinnen achter elkaar kan begrijpen, zonder ze opnieuw te moeten lezen. De tekst is nochtans overzichtelijk opgesteld en ik zie nergens kleine lettertjes. Ook geen grote.

'Als ik het goed begrijp, dekt de hospitalisatieverzekering geen experimentele behandelingen,' zeg ik tegen An, en ik bedenk dat ik dat eigenlijk al wist van André, onze sociaal-assistent.

'Misschien kun je je nog eens extra laten verzekeren tegen wat ze in zo'n extra verzekering dan toch weer niet willen verzekeren?'

Ik hoor haar cynische opmerking, maar ik kan er niet om lachen, vandaag niet. Ik weet alleen dat ik voor één ding echt verzekerd ben: de pijn. Ik bekijk de laatste rekeningen van het ziekenhuis, ze lopen aardig op. Maar het blijft een peulschil als ik denk aan de cijfers die ik hoorde in *Panorama*, waar mensen met een dichtgesnoerde keel voor de camera vertelden dat ze hun ziekenhuisrekening van een miljoen niet meer konden betalen...

Buiten wil het maar geen lente worden. Ook al duwt de Japanse esdoorn zijn eerste botten open, de noordoostenwind blijft schraal en koud. Ik huiver wanneer ik eraan denk dat ik straks nog naar buiten moet. (We hebben een wijkcomité opgericht, omdat een machtige grondeigenaar de laatste groene ruimte in onze buurt wil verkavelen.) Het weer is nu al dagen grijs en somber en ik weet dat ik vanavond niet langer dan een halfuur zal kunnen vergaderen. Ik wou dat ik nog eens een halve dag gezond was, vanavond bijvoorbeeld.

'Weet je nog, hoe we vroeger grapjes maakten over mensen die zich tegen ieder denkbaar risico wilden verzekeren? Nu is het zo ver!' roept An lacherig vanuit de keuken.

Ik trek me dieper onder de witte wollen deken en hoor de echo van haar laatste woorden: '...ieder denkbaar risico?' Ik lijd nu al meer dan twintig jaar aan het vermoeidheidssyndroom, niet eens aan een ziekte.

Ik ben totaal moedeloos. Verzekerd tegen ieder denkbaar risico, behalve tegen een syndroom.

Eergisteren is de verpleegster me komen opzoeken. Ze zei dat er onder de VRT-personeelsleden drie gevallen van CVS bekend waren – dat klopt met de statistieken van professor De Meirleir: tienduizend voor België – en dat één van die drie gevallen al 'op de ziekenkas stond'. Ik vroeg haar naar mijn financiële situatie voor het volgend jaar en de jaren daarna. Ze zei dat er een sleutel bestond, een formule waarmee ik zelf mijn overlevingspensioen zou kunnen berekenen.

Vandaag heeft de personeelsdienst me die sleutel doorgebeld. Na drie opeenvolgende rekenbeurten – omdat ik de uitslag niet kon geloven – zie ik nu tot mijn verbijstering dat ons gezinsinkomen over een jaar, op minder dan de helft zal terugvallen. Ik ben wanhopig en allerlei gedachten spoken door mijn hoofd, de meest opportunistische eerst. An zal dus moeten gaan werken als Sam wil studeren, maar wie zal me dan helpen als ik nog amper kan bewegen of de ziekenwagen bellen als mijn hart weer eens op hol slaat? Of misschien kunnen we het huis verkopen en met dat geld het jaarlijks tekort aanvullen? Hoelang kunnen we dat? En waar gaan wij dan wonen? Waar zal ik me nog ooit thuis voelen, me nog kunnen verschuilen? Ik voel de razernij opkomen, de machteloze woede van het nooit willen aanvaarden dat ik vroeger zo van het leven kon genieten en nu niks meer kan! Waarom kan ik niks meer? Niks! Voor wie moet ik me trouwens nog verschuilen? Wie heeft me de laatste maanden nog gebeld? Voor wie besta ik eigenlijk nog? Is er nog iemand die wil weten of ik nog leef?

Het is weer beginnen regenen. Door kleine glinsterende streepjes op het raam zie ik de natte esdoorn. Sommige druppels blijven langer aan de twijgen bengelen, maar uiteindelijk vallen ze allemaal.

><

16 april 1998

Of het iets met mijn documentaire te maken heeft, weet ik niet, maar de voorbije weken is het chronisch vermoeidheidssyndroom regelmatig in het nieuws geweest. Professor De Meirleir vertelde in de kranten over een systematisch bloedonderzoek waarbij CVS sneller opgespoord kan worden, wat bij zijn tegenstanders uit de psychiatrische hoek felle reacties uitlokte. En gisteren kreeg ik een telefoontje van de redactie van *Groot gelijk* dat ze een debat over CVS planden, en of ik dan misschien op de radio mijn eigen ervaringen zou willen vertellen? Ik vond het maar niks dat ze wisten dat ook ik aan CVS leed, ik was verrast en vroeg bedenktijd. Zou er iemand beter worden van mijn verhaal, of zou mijn getuigenis andere, anonieme zieken misschien kunnen helpen in hun strijd om erkenning en begrip? Ik stond voor een dilemma: mijn stilzwijgen nog zo lang mogelijk volhouden – en waarom dan eigenlijk? – of open kaart spelen en daarmee ook voor iedereen toegeven hoe kwetsbaar ik zelf geworden was. Misschien was dit wel het goede ogenblik om de waarheid te vertellen en me niet langer te verstoppen achter het leed van anderen? En dan was ik misschien ook verlost van al die hatelijke vragen over wat ik zoal deed tegenwoordig en opmerkingen als: 'we zien jou de laatste tijd niet meer zo vaak op het scherm?'

Ik overwoog alle argumenten, sprak er met An over en bleef twijfelen. Er was iets wat me ervan weerhield om zomaar onvoorwaardelijk aan het radioprogramma mee te werken. Was het mijn trots die ik meende te kunnen bewaren door te zwijgen of was het oprechte bescheidenheid om anderen niet met mijn problemen lastig te vallen? Ik voelde in ieder geval de angst van elke CVS-patiënt om me helemaal prijs te geven en daarna toch niet geloofd te worden. Ik besloot om uiteindelijk mijn eigen nek ook maar eens uit te steken, al besefte ik dat mijn leven na dit interview er helemaal anders zou kunnen uitzien.

Het kenwijsje van *Groot gelijk* werkt op mijn zenuwen, maar ik kan niet meer terug. Ik maak me sterk dat ik mijn verhaal in één ruk zal kunnen vertellen; dat ik geen moeilijke vragen zal hoeven te beantwoorden; dat het beter zo is, want de roddelpers zal nu wel op de hoogte zijn en er ook een smeuïg stukje over willen schrijven.

Ik hoor hoe de studiogast de psychologische oorzaken van vermoeidheid in de verf zet. Het is weer het oude verhaal van de kwaal die vooral in onze kop zit, van een onverwerkt trauma misschien, van te weinig inzet en lichaamsbeweging en van de stress die mensen zo moe maakt. Ik begin al te steigeren nog voor het mijn beurt is en ik probeer me te bedwingen door enkele notities te nemen en mijn argumenten op een rijtje te zetten. Wanneer in de studio echter het woord 'depressie' valt, word ik razend. Een paar minuten later word ik opgebeld en is het aan mij – ik ben al mijn twijfels en angsten intussen wel vergeten – en ik haal uit dat iedereen die een halfjaar lang dagelijks geveld wordt door ondraaglijke vermoeidheid en pijn in het ganse lichaam, wel depressief moet worden, vooral als je alles dreigt te verliezen wat je dierbaar is.

Nog voor ik het goed en wel besef, begin ik mezelf al te verdedigen en in één ruk vertel ik het verhaal van het voorbije jaar: dat ik de afgelopen maanden niet meer het minste idee heb welke stress de professor wel mag bedoelen vermits ik al zolang niet meer meespeel en enkel nog probeer te overleven; dat een depressie vooral betekent dat je niet meer verder wil en dat ik daaraan nooit heb willen toegeven; dat ik me afvraag wat er bij de professor precies 'tussen zijn oren' zit; dat wij gewoon niet meer verder kunnen, hoe graag we ook nog zouden willen werken en leven zoals iedereen. De tijd is beperkt en mijn 'gewaardeerde' bijdrage zit er op. Mijn benen trillen en ik snak naar adem. Ik vraag aan An wat ik dan wel allemaal verteld heb, dat ik nu nog sta te hijgen. Ze zegt dat mijn argumenten terzake waren en dat het goed was dat er ook enige woede doorklonk in mijn stem. Ik ben er opeens niet meer zo zeker van. Ik heb het gevoel dat ik me in die enkele minuten vooral tegen de oude vooroordelen heb verdedigd, dat ik nog maar een tip van de sluier heb opgelicht en dat er de eerstkomende dagen nog heel wat vragen gesteld zullen worden.

Maar dat is dan voor morgen, voor later. Want wat ik ook verteld mag hebben, ik kan nu toch geen enkele gedachte meer vasthouden, ik kan zelfs niet meer nadenken. Zonder middageten kruip ik in bed en stel me voor dat de hele wereld nu wel weet dat ik CVS heb. Mijn gewichtigdoenerij weegt gelukkig niet zwaar, want ik val meteen in slaap.

><

De eerste week na de uitzending kwamen er, zoals verwacht, heel wat telefoontjes. Sommigen vonden mijn 'outing' heel dapper, anderen vonden dat ik mezelf meer in bescherming had moeten nemen en nog anderen vonden dat ik niet ver genoeg gegaan was. Het zij zo.

Maar vandaag kan mijn dag niet meer stuk. Want sedert een week voel ik me heel wat beter en vanochtend kwam er daarenboven ook nog hoopgevend nieuws. De nieuwe productmanager die verantwoordelijk is voor alle televisiedocumentaires informeerde naar mijn gezondheid en of ik misschien al mogelijkheden zag voor de toekomst. Hij had overlegd met de arbeidsgeneesheer en stelde me voor – van zodra ik het zou aankunnen – om in zijn dienst verder te blijven werken. Hij had het over aangepast werk, waarbij ik me op mijn ritme en volgens de noodwendigheden van de dienst, nog erg nuttig zou kunnen maken. Ik wil die kans met beide handen aangrijpen. Immers wat ik aankan, zal ik ook doen, want ik ben allesbehalve depressief.

➤◄

25 april 1998

Het is maanden geleden, maar vandaag gaan we uit. Jan Bosschaert is veertig geworden en dat wil hij – met enige maanden vertraging – vanavond in zijn atelier vieren, in het bijzijn van zijn vrienden. Ik wil er ook bij zijn. Al zie ik er nog maar schijterig uit, ik wil een glas drinken op zijn en mijn gezondheid.

Jan heeft blijkbaar zonder al te veel moeite zijn sfeervol atelier weten om te toveren tot een ietwat bevreemdend maar vrolijk-duister rovershol. De stalen deur van de loods lijkt wel verdwenen, verwerkt in een schemerige tunnel vol flikkerende tuinkaarsen, als onverwacht hellevuur bij de ingang van een vreemdsoortige hemel. Overal tegen de met zware doeken gedrapeerde wanden hangen affiches, tekeningen en schilderijen; her en der staan er rieten zetels en stoelen – ik ben opgelucht – en achteraan, naast het podium waarop zijn zonen toneel kunnen spelen, heeft Jan een gezellige zithoek met tafeltjes geïnstalleerd. We lopen langs lage rekken en vitrinekasten vol bizarre voorwerpen: oud speelgoed, ballen en bollen in alle maten en materialen, prullaria, dood hout, vogelschedels, en allerlei natuurobjecten die Jan gedurende al die jaren verzameld heeft. Dit is de filmset van zijn jeugd, het decor van zijn grenzeloze verbeelding, de achtergrond van zoveel magische prenten die hij de afgelopen twintig jaar geschilderd heeft. Wie hem een beetje kent, weet dat hij dit nodig heeft om te kunnen werken, dat hij nu en dan een steen of een fossiel moet kunnen aanraken, voelen en weer op zijn plaats zetten, vooraleer hij kan beginnen tekenen. Ik hou van zijn wereld en van zijn kunst.

Hier bij hem voel ook ik me thuis, telkens weer. Ik herken zijn jongensachtige liefde voor de natuur en zijn drang om dingetjes en oude spullen te koesteren, alsof ook hij daarmee de herinnering aan een kommerloze kindertijd heeft willen bewaren. Ik waan me heel even in de coulissen van mijn eigen jeugd: het Wissebos, toen het altijd zomer was.

Het doet me deugd dat ik na al die weken van donkere, eenzame opsluiting uiteindelijk toch nog hier geraakt ben, al weet ik dat we in het feestgedruis nauwelijks met Jan zullen kunnen praten.

'Dat doen we dan een andere keer, Jan,' zeg ik, blij dat ik hem weer terugzie, en ik overhandig hem een kleine antieke bal, gemaakt van ingelegde houten mozaïekjes. Toen ik hem vorig jaar op een rommelmarkt vond, wist ik dat die bal voor Jan zou zijn. Ik zag er het symbool in van een volmaakt, afgerond leven, maar ik wist dat het ook wat minder mocht zijn. An geeft Jan een zoen en een boek van Dale Peck *De wet van de afbakening*. Toen ik het thuis inpakte, dacht ik: net zoals de bal is dit boek een ander rond verhaal, twee keer de wet van de afbakening, twee keer een kunstwerkje, grenzeloos en toch beperkt.

Achter ons komen nieuwe gasten, we schuiven verder. Ik duw An naar de zithoek en besef opeens dat zij al zolang haar vriendinnen niet meer heeft gezien, dat ik een jaar lang te moe was om thuis mensen te ontvangen, dat we nog amper durfden gaan wandelen, bang voor mijn onbetrouwbaar hart. Ik knijp in haar hand, ze lacht. Ik ben een thuisgekomen balling, ontsnapt en weg van mijn eiland. We zoeken een leeg tafeltje – voorlopig nog een beetje buiten de drukte – en ik kijk naar de gasten met hun geschenkjes en naar Jan die elk van hen minzaam glimlachend begroet. Hij geniet van deze entourage, van mensen die hij kent. Het lijkt wel alsof hij opgelucht is dat zijn dagelijks, eenzaam tekenwerk vanavond doorbroken werd, dat hij het geduldig invullen van kleuren en tinten even mag inruilen voor gekke attenties en uitbundige complimenten van lachende mensen: zijn vrienden. Ik wou dat ik nog eens echt kon feesten, dat ik weer even opgetogen kon zijn als hij.

Terwijl de muziek luider begint te klinken, denk ik terug aan onze eerste ontmoeting, nu al meer dan vijftien jaar geleden, toen de jonge tekenaar Jan Bosschaert aan een van zijn eerste stripalbums *Pest in 't paleis* werkte. Hij tekende met een oogverblindende vanzelfsprekendheid en hij hanteerde een verbazingwekkende stijl die iedereen bewonderde. Het viel me toen meteen op dat hij niet dweepte met zijn succes. Hij bleef bescheiden en werkte verder. Iedereen zegt voortdurend dat hij nog altijd veel té bescheiden is en soms klinkt dat zelfs als een verwijt, maar achter zijn ontwapenende schuchterheid ligt ook de kwetsbaarheid van zijn talent, de schroom om voor zijn gevoelens de verkeerde woorden te gebruiken, de angst om alleen maar een handige jongen te zijn.

Het atelier is nu helemaal volgelopen en ik probeer een gesprek aan te knopen met mensen van zijn uitgeverij die weten dat ik aan een boek begonnen ben, een boek over mijn eigen leven. Ik zou willen rechtstaan en hen, net zoals vroeger, uitvoerig en enthousiast uitleggen hoe ik daarmee bezig ben, maar ik kan het niet. Ik vind de woorden niet om te kunnen toegeven dat het allemaal erg moeizaam gaat; dat ik sommige dagen nauwelijks de letters kan lezen op mijn tekstverwerker; dat ik eraan twijfel of ik wel iets te vertellen heb; dat vechten tegen moe zijn nog meer moe maakt. Ik blijf zitten – ook figuurlijk, denk ik – terwijl iedereen opgewonden en nadrukkelijk zijn eigen verhaal vertelt, rondom mij en boven me uit. Luc Coorevits van *Behoud de begeerte* heeft me ook al in geen jaren meer gezien. Vroeger zagen we elkaar geregeld op literaire avonden, of op *Nachten van de poëzie*. Ik probeer me te herinneren wanneer en waar voor het laatst, wie ik toen geïnterviewd zou hebben, maar het beeld is uitgevallen. Weg. Hij vraagt me hoe zo een chronische vermoeidheid zich voor het eerst manifesteert. Ik vertel hem van het concert van Bob Dylan in Rotterdam. Hij was er toen ook en herinnert zich dat het in het stadion ijskoud was en dat hij van een andere concertganger een jasje geleend had tegen de wind en de striemende regen. Ik probeer te onthouden dat ik dat nog aan de passage in mijn boek zou kunnen toevoegen.

Ik heb stilaan geen vat meer op ons gesprek, omdat ik de laatste tijd overal ben weggebleven; omdat ik te weinig gezien en gehoord heb wat een literair agent ook nog zou kunnen interesseren. Luc heeft het over zijn laatste producties, over het succes van Bart Moeyaert, nu ook in praatavonden in het theater. Het boeit me wat hij zegt, ik ken die wereld en zou er iets over kunnen zeggen, maar ik besef dat ik nauwelijks iets kan invullen tussen mijn eerste interview met de piepjonge jeugdschrijver van tien jaar geleden en de auteur van nu. Waar ben ik al die jaren geweest? Het lawaai neemt toe en het spreken wordt alsmaar moeilijker. Mijn hart klopt hoog in mijn keel, ik heb geen adem meer voor woorden. Ik zak terug achterover in mijn stoel en zeg Luc dat het fijn was om nog eens bij te praten. Ik vind het erg dat mijn wereld zo klein is geworden dat ik zelfs niet meer kan meepraten.

Op de vloer wordt er intussen gedanst. Het gesprek met Luc heeft me heel moe gemaakt. An heeft het gezien. Ze probeert zich los te maken van haar openhartig taterende buurvrouw en fluistert in mijn oor dat we er nu maar weg moeten glippen. Ik kijk naar de muur van bewegende benen, ruggen en schouders, vlak voor ons tafeltje. Hoe moeten we hier uit weggeraken? Ik vind het maar niks om de gezellige drukte te moeten opensplijten, het feest is pas begonnen en wij stappen op. Maar mijn rug doet pijn. Ik duw me uit mijn stoel en alles draait in het rond – natuurlijk, want Jan is jarig. Ik moet even op het tafeltje leunen tot de bekertjes weer blijven stilstaan en begin me daarna een weg te banen tussen de bruisende vrolijkheid. Ik zie nog net hoe Jan met een van zijn aangeklede striphelden naar de dansvloer trekt. Ik schuif met gestrekte arm tussen luidpratende mensen door en tik hem op zijn schouder. In luttele woorden zeg ik hem dat ik naar huis moet. Hij lacht begrijpend en in zijn ogen zie ik dat hij blij is dat we toch gekomen zijn. Meer hoeft niet voor Jan. We glijden stiekem uit het hol van Ali Baba, terug de nacht in.

In de auto, achter het stuur, voel ik dat het weer gaat gebeuren. Ik probeer om de kou niet te voelen, er vooral niet aan te denken dat het buiten kil en vochtig is. Ik haal diep en langzaam adem, in de hoop dat de rilling zal wegblijven. Ik laat de motor warmlopen, maar ik voel dat ik kippenvel krijg. Ik verbijt een paar korte, opkomende zenuwsnokken. Nu niet, asjeblieft! Weer ademen, diep en langzaam en zwaar, en denken dat het een hete dag is geweest, dat ik naar een beetje koelte snak. Het helpt, deze keer helpt het. Er komt geen huivering, geen klappertanden, de ijselijke rilling blijft uit, godzijdank. Ik hou me stil, verscholen in mijn lange winterjas. Ik schuif voorzichtig de ventilator open, hij blaast de eerste lauwe lucht naar binnen. We vertrekken. Ik ben zo bang voor dat mateloze beven, voor die onhoudbare doodsrilling die letterlijk door het merg van ieder been gaat, dat ik tot op de autosnelweg geen woord durf zeggen. An zwijgt ook, ze weet dat ze me nu niet meer kan helpen. Ik voel dat ze naar me kijkt en bang is. Als dat verschrikkelijke monster me overvalt – bijna altijd 's avonds en zelfs in mijn bed onder de donsdeken – dan komt er een minutenlang schokken en rillen en angst van het beginnen te sterven, tot ik er helemaal misselijk van word, doodziek en overmand door de kou. Ik mag er werkelijk niet aan denken...

We zijn aan de afrit van Mechelen Noord.

'Is het voorbij?' vraagt ze voorzichtig.

'Ik denk het toch...'

We zwijgen. Ik blijf achter een vrachtwagen hangen, ik durf hem niet inhalen. Op de ring rond Brussel vraagt An: 'Vond je het vanavond eigenlijk een beetje fijn?'

'Ja... zeker. Alleen...'

'Alleen wat?'

'Alleen heb ik er spijt van dat ik Jan in al die jaren nooit heb geïnterviewd.'

Het is de wet van de Afbakening.

>‹

De voorbije weken zijn draaglijk geweest. De lente loopt op zijn einde. Dit zijn voor mij – behalve dan vorig jaar – altijd al de beste dagen geweest. Telkens weer voel ik dat de zon geneest, of tenminste verlichting brengt.

Ik moet nu proberen om mijn kwalen zoveel mogelijk afzonderlijk aan te pakken, al weet ik dat het vaak onbegonnen werk is om het veelkoppige CVS-monster in stukjes te hakken. Op sommige dagen blijft de aanval te overweldigend, dan voel je zelfs niet meer of het je rug of je schouders of je nek is die mishandeld wordt. Op zulke momenten doet alles pijn en de vermoeidheid zit dan ook overal, loodzwaar en totaal. Maar nu is er weer even een korte wapenstilstand en deze kans moet ik grijpen onder het motto 'Verdeel en heers.' Sedert vanochtend heb ik weliswaar weer brandende gewrichten, maar hoeveel reumalijders hebben dat niet? Dit is doodgewoon de pijn van een losstaand ongemak dat artrose heet. Ik heb last van artrose, zoals zoveel andere mensen. Zo erg is dat nu toch ook niet?

Hartkloppingen zal ik voortaan wel altijd hebben, vrees ik, maar ze zijn lang niet altijd dramatisch. Gisteren kwam er weliswaar weer zo een heimelijke versnelling aangedenderd, ik voelde ze meteen in mijn keel kloppen. Ik vreesde erger, maar omdat ik regelmatiger en dieper begon te ademen, vertraagde mijn hartritme. Ik ging op de sofa liggen en voelde – wonder boven wonder – hoe mijn hart langzaam weer zijn oude cadans terugvond. Was dit enkel puur toeval? Kan ik de chronische duivel soms een hak zetten, ook al duurt het niet altijd zolang als ik wel graag zou willen? Als het oude venijn dan toch weer zijn slag thuis haalt, probeer ik ook geen enkele inspanning meer te doen, anders kunnen ze me daarna wel op een heel klein hoopje vegen. Als de vermoeidheid me volledig lamslaat, moet ik dat aanvaarden; geen enkele nutteloze weerstand meer bieden. Tegen de zwaarste vermoeidheid is immers geen enkel kruid gewassen en ik weet intussen dat ik dan al mijn schaarse energie moet opsparen voor wanneer er weer een betere dag komt. Het heeft geen enkele zin om dan de resterende krachten in mijn geest te mobiliseren: het is verloren moeite, waardoor ik nadien soms echt depressief word. Maar wanneer ik een beetje later, dan toch een kleiner, haalbaar gevecht win, weet ik ook dat het pleit een volgende keer misschien weer in mijn voordeel beslecht kan worden, en dat geeft moed. Soms lijkt het er zelfs op dat ik een heel klein beetje overschot heb vergaard: een reservekapitaal dat ik in mezelf pomp voor de dagen dat ik totaal geen uitzicht meer heb op spoedig beterschap.

Gisteren had ik – ondanks de betere periode – toch weer zo een onmogelijke dag: gevloerd, met een hart dat op geen enkel uur van de dag in de pas wou lopen. Ik lag de hele dag totaal versufd op de sofa, slap en onmachtig om rechtop te komen. Maar 's avonds moest ik naar bed en dat bed staat wel één verdieping hoger. Ik nam al mijn tijd om overeind te kunnen zitten, heb toen lang en diep genoeg geademd tot ik beetje bij beetje en zonder brokken rechtop geraakte. Als een brave revalidatiepatiënt heb ik de lange weg naar de trap genomen. Het bekende geschuifel was begonnen: voetje voor voetje omhoog, en zo naar boven, zonder dat mijn hart weer wild triomferend 150 slagen per minuut kon maken. Wie me toen had kunnen zien, zou er wel anders over gedacht hebben, maar ik beschouwde die prestatie als een overwinning.

Ik had de bovenverdieping gehaald, maar was te moe om te kunnen slapen. Ik hield twee woorden voor ogen: 'kleine winst'. Alsof het om een magische spreuk ging, dacht ik voortdurend aan die twee onbenullige woorden. 'Kleine winst'. Ik heb die woorden telkens herhaald en een beetje naïef in de diepste herinnering van mijn geest geprent, om er daarna als een kostbaar kleinood naar te kunnen kijken, want ik wist dat ik ze niet mocht vergeten. Ik zou ze nog nodig hebben.

><

Ik heb een nieuw toegangsbewijs gekregen voor de VRT-gebouwen, en ondanks mijn twaalf maanden afwezigheid gaat de slagboom daadwerkelijk omhoog wanneer ik me laat identificeren door de elektronische paal van dienst. Ik ben blijkbaar nog niet afgeschreven bij de omroep.

Bea heeft onze afspraak voor vandaag vastgelegd en Leo, de – voor mij althans – nieuwe productmanager zal mijn opdracht omschrijven. Ik word zenuwachtig als ik eraan denk. Nog niet zolang geleden was ik zelf voor verscheidene programma's verantwoordelijk en nu lijk ik wel een jonge sollicitant die al blij is dat hij een gesprek heeft weten te versieren. In de parkeergarage is er ruimschoots plaats, de nieuwe personeelspolitiek of puur toeval? Ik kijk naar de geparkeerde auto's alsof het om collega's gaat die ik zou moeten herkennen, en ook naar het nummer van de verdieping, want dit soort dingen vergeet ik tegenwoordig al na vijf minuten. Ik neem de trappen om naar boven te gaan, maar dat lukt me blijkbaar niet meer zo goed als een jaar geleden en halverwege moet ik al op een tussenverdieping halt houden en uitblazen. Ik moet nog één verdieping hoger en toch besluit ik om de lift te laten komen. Het is lullig, maar ik weet ook hoelang ik er anders over doe om hiervan te recupereren en het heeft geen enkele zin om buiten adem en met een dolgedraaid hart op de dienst aan te komen.

Ik loop eerst langs het kantoor van Bea en op het ogenblik dat ik wil aankloppen, realiseer ik me dat ik haar voornaam alweer vergeten ben. Dat begint al goed. Ik kijk of er niemand in de gang is en lees vlug haar naam op het bordje: Bea, natuurlijk!

Ze ziet er erg moe uit. Ik vrees dat ik toch nog ongelegen kom en stel haar voor om eerst nog een paar collega's te groeten en even te wachten tot we samen naar Leo kunnen gaan. Ze lacht en zegt dat het niet hoeft, dat ze in juli met vakantie gaat en dat ze blij is dat ik terug ben.

Leo zit achter zijn computer, staat recht en wijst me een stoel aan. Hij komt onmiddellijk terzake en beschrijft in minder dan een minuut tijd welke programma's onder zijn bevoegdheid vallen en wat mijn bijdrage daarin kan zijn. Ik moet voor hem zoveel mogelijk buitenlandse documentaires tapen en bekijken en daarna rapporteren wat eventueel in aanmerking kan komen voor onze reeksen op Canvas. Hij vraagt me of hij daarop kan rekenen. Dit moet mogelijk zijn. Ik vertel hem dat ik nooit met zekerheid weet wanneer de ergste vermoeidheid toeslaat, maar ik voeg er ook meteen aan toe dat ik me soms 's nachts beter voel en dan evenzeer kan 'visioneren', of in de weekends. Hij zegt dat ik met Lieven die verantwoordelijk is voor de aankoop moet aanstippen en overleggen wat het aanbod is en dat ik daarna mijn planning zelf kan bepalen, als het werk maar gedaan is. Ik zeg hem dat ik alles zal doen wat ik maar kan. Leo zit alweer achter zijn computer. Ik bedank hem voor zijn voorstel en beloof hem dat ik tot het uiterste wil gaan. Terwijl hij al opnieuw zijn toetsenbord bespeelt, zegt hij dat het wel zal lukken en daar ben ook ik vast van overtuigd. Ik voel me ontzettend blij dat ik dit werk zal aankunnen en dat ik er weer bij hoor.

Op de gang loop ik een vroegere collega tegen het lijf, die wist dat ik terug aan de slag wou.

'En?' vraagt hij, 'wat is het geworden?'

'Advies geven voor aankoop van reportages, je weet wel, kwaliteitsdocumentaires zoals vroeger op TV2 op zondagavond, in *De snede van Dekeyser*.' Hij lacht. Pas later in de parkeergarage, begreep ik waarom.

>‹<

Het is dinsdag, de dag waarop Lieven en ik het aanbod van documentaires op buitenlandse zenders bekijken en het werk voor de volgende week verdelen. Lieven is de minzaamheid zelve en ontzettend collegiaal, ik kon het werkelijk niet beter getroffen hebben om opnieuw van start te gaan. Ik leg hem mijn huiswerk van de voorbije dagen voor: de documentaires die ik in het weekend en gisteren bekeken heb. Ook al bieden die reportages vaak weinig hoopgevend nieuws voor de mensheid, ik doe dit werk graag en probeer mijn beoordelingen zo overzichtelijk mogelijk te houden. Mijn rapporten moeten kort en helder zijn, want Lieven heeft al werk genoeg en nauwelijks de tijd om een koffietje te drinken, ook vandaag niet. Hij vraagt of het allemaal niet teveel voor me wordt, en alhoewel dat objectief gezien zeker niet het geval is, heb ik de voorbije week even op mijn tanden moeten bijten. Leo heeft me immers gevraagd om voortaan ook de persteksten van de nieuwe Hot Doc-reeks te schrijven, maar dat kostte me meer moeite dan ik had gedacht. Een documentaire van 50 minuten in een bondige en aantrekkelijke perstekst samenvatten is een job apart en daarbij had ik al een week lang een ontsteking in mijn rug en mijn nek, waardoor ik maar moeilijk overeind kon blijven zitten.

Ik durf het bovendien tegen niemand zeggen, maar de korte rit van huis naar Koekelberg, door de Leopold II -tunnel en door het centrum van Brussel naar de omroep, valt me zwaar. Met het openbaar vervoer moet ik echter drie keer overstappen en duurt het dubbel zo lang, ook al geen ergonomische oplossing. Ik kan voorlopig mijn auto nog niet thuislaten, al is het opletten geblazen. Ofwel beginnen mijn reflexen chronische vermoeidheidsverschijnselen te vertonen, ofwel wordt het verkeer iedere maand aggressiever? Ik hou het maar bij het laatste. Dat is me trouwens bij het telefoonverkeer ook al opgevallen. Ik probeer al een paar maanden om iemand van de gemeentelijke administratie van Anderlecht te spreken in verband met de verkavelingsperikelen in de buurt, maar tevergeefs. Dat zou nog niet eens zo erg zijn – al-hoewel? – maar de manier waarop je verteld wordt dat die man afwezig is ('en morgen is hij er ook niet')! Het lijkt wel of je huis-vredebreuk hebt gepleegd, of per telefoon leren zetels probeert te verkopen aan een gemeentelijk ambtenaar. De nieuwe politieke cultuur is een lachertje, maar dat er daarna op een aangetekend schrijven zelfs geen antwoord komt, lijkt verdacht veel op de cul-tuur van een bananenrepubliek.

Lieven selecteert een stapel cassetten die ik straks mee naar huis kan nemen – straks weer de tunnel inschuiven, zonder brok-ken. Ik ben niet meer zo zeker van mijn auto, mijn vrijheid. Het bitsig verkeer is zeker niet de enige reden waarom ik minder goed begin te rijden. Er is iets gebeurd met mijn inschattingsvermogen. Ik moet ongewild heel wat trager rijden, meer afstand houden, en als ik ergens wil parkeren, moet ik een extra keer berekenen hoe groot die vrije plek nu wel precies is. Een paar maanden geleden – ook al dacht ik de situatie correct ingeschat te hebben – manoeu-vreerde ik achteruit en reed pardoes in de voorbumper van een vrachtwagen. Dat was me in dertig jaar nog nooit overkomen. Ik begreep er totaal niks van. Ook vandaag zal ik al mijn concentra-tie weer eens nodig hebben om naar huis te rijden. De wereld om me heen beweegt op sommige dagen immers meer dan anders. Als ik straks de voordeur achter me zal kunnen dichttrekken, zal ik opgelucht zijn dat ik mijn huiswerk aan Lieven heb kunnen to-nen, dat ik weer nieuwe documentaires kan bekijken en dat ik weer thuis ben geraakt. Voor een ander lijkt het niks, voor mij is het mijn werk.

Ik ben thuis. Ik heb mijn rapporten en persteksten op tijd afgele-verd, ik ben tevreden, al zal ik nu meteen in mijn bed moeten en een paar uur rusten. Het is niet anders.

An vraagt me of ik straks veel nieuwe cassetten moet bekij-ken. Opeens weet ik het niet meer. Waar is mijn boekentas trou-wens gebleven? De angst snoert mijn keel dicht: ik moet hele-maal terug naar de VRT! Nu meteen, want straks zijn ze misschien verdwenen of heeft een ander ze ondertussen gewist? Nog voor ik mijn jas opnieuw heb aangetrokken, zie ik dat An de boekentas en een plastieken zak vol cassetten onder de kapstok schuift. Mijn bonzend hart roept dat ik een idioot ben, maar ik zwijg. Ik ben blij dat ze niets heeft gemerkt.

Concentratiestoornissen zijn storend en verwarrend, vooral voor anderen, denk ik, want zelf merk ik niet altijd dat mijn geest weer eens rammelt. Soms gebeurt het dat ik twee dagen nadat An me een welbepaalde vraag gesteld heeft, opeens het antwoord geef, zonder dat daarvoor ook maar enige aanleiding is. Het lijkt wel alsof ik dan de volgorde van de gebeurtenissen kwijt ben, alsof er hele stukken tijd zijn uitgewist en complete fragmenten van het verleden niet tot me doorgedrongen waren. Het vergeten van woorden en namen kan in een gesprek erg grappig zijn, maar niet wanneer je dat zelf niet eens merkt, en daardoor ook de indruk wekt dat wat anderen gezegd hebben eigenlijk niet belangrijk was. Soms hapert mijn denkwerk prettig, zonder hinderlijke of desastreuze gevolgen. Dan zijn de kronkels van mijn hersenen blijkbaar nog grappig ook. An en de kinderen kennen mijn notoire versprekingen al jaren en meestal kijken ze niet meer echt op wanneer er weer zo'n lapsus op tafel komt. Toch ergert het me nog vaak wanneer iedereen plots begint te schateren. Ik heb nooit goed met mezelf kunnen lachen, maar dan moet het wel – al was het maar om mijn gezicht niet te verliezen voor mijn onbedaarlijk grinnikende huisgenoten. Soms stapelen de flaters zich op, waardoor ik in één ademstoot en meestal zonder blikken of blozen, een aardig dement blundertaaltje kan ontwikkelen. Toen we op een koude dag klaarstonden om met onze kleinzoon Aiko te gaan wandelen, zei ik tegen An : 'Mijn sjaal heb ik al, maar weet jij soms ook waar mijn vingersloffen zijn?'

Toen we die dan gevonden hadden, duffelde ik Aiko nog eens extra in en zei: 'Hij is weeral verkouden, ik denk dat hij nogal luchtgevoelige wegen heeft.'

De ochtend daarop, toen we samen in bed wakker werden, vond ik dat An haar hoofd zo raar op het kussen lag.

'Pas op,' zei ik haar, 'want je verstandhouding is helemaal verkeerd.'

><

| *5 augustus 1998* |

Het loopt vandaag een beetje stroef, ook al ben ik vanoch- tend om vijf uur opgestaan om aan mijn boek te werken. Ik kon niet meer slapen en heb, tegen de sterren op, geprobeerd mijn verhaal verder te schrijven. Maar het resultaat is pover. Telkens opnieuw dwalen mijn brandende ogen over letters en zinnen die ik niet in de juiste volgorde krijg.

Hier zit ik nu alweer een halfuur naar mijn tekstverwerker te staren, en ik begrijp de betekenis niet van wat ik urenlang heb uitgeschreven. Ik trek met mijn cursor een dikke, zwarte balk over de passage: één klik, en weg zijn de wankele woorden. Ik weet dat ik in de vroege voormiddag zelden op dreef kom, dat ik geduldig moet blijven en straks pas voorzichtig de motor in gang zal kun- nen zetten. Misschien.

Ik ga naar beneden, naar de keuken. Buiten is het al warm, maar ik heb het koud: mijn thermostaat is ontregeld. Vanmiddag zal ik het opnieuw proberen, want nu is het weer stijfheid alom. Ik moet eerst iets eten. Hapje voor hapje help ik mijn maag op weg om niet meteen misselijk te zijn voor de rest van de dag. Het is allemaal niet zo simpel.

Renate Dorrestein vroeg op de flaptekst van haar boek *He- den ik* waarin ze haar eigen chronische vermoeidheid beschreef: 'Ben je nog wie je was als je niet meer kunt wat je kon?' Voor mij is het antwoord duidelijk neen. Ik kan niet meer wat de knaap van het Wissebos kon, of de jonge zanger die in Leuven voor het eerst zijn eigen liedjes voor studenten zong, toch maakt dàt alle- maal deel uit van wat ik nu ben, net zoals alles wat ik nog zou willen doen. Dat wil ik allemaal opschrijven – straks of morgen wellicht, want nu is de pijn te scherp. Ik moet eerst even op de sofa gaan liggen.

's Namiddags wordt de brand in mijn rug en mijn benen er- ger en ik trek naar boven, naar mijn bed. Want het gaat weer niet. Een mooie zomerdag schuift voorbij en ik vrees dat ik vanavond niets heb om op terug te kijken, geen nieuwe indeling van het boek, geen nieuwe zinnen, geen enkel nieuw woord.

164

Waarom mogen wij ons nu eens nooit lekker uitgerust voelen, al was het maar voor één dag? Waarom moet ons leven iedere ochtend opnieuw mank lopen? Waarom kan een virus dat je lichaam binnensluipt er ook niet meteen weer uitgezet worden? De algemene storing is intussen al zolang en overweldigend aanwezig in ons lichaam dat geen enkele dokter er nog naast kan kijken.

'Voilà dokter, dit ziet u toch ook? Dit is ons pakket van zoveel jaren ongemak en rotzooi: nadrukkelijk voelbaar, met welomschreven pijnen en bijzonder opvallende vermoeidheid. Snij het uit ons lijf, zet het op sterk water, bombardeer het met neutronen, verbrand het desnoods met een vlammenwerper, maar genees ons.'

Zelfmedelijden is na zoveel jaren soms onvermijdelijk, maar het helpt je geen stap verder. Nog erger is het medelijden van de anderen, want dan maak je er ook om de haverklap aanspraak op en dan wordt eenrichtingsgezeur een verworven recht. De terreur van de chronische sukkelaar. Maar je verwacht wel begrip. Begrip voor wat je te verduren krijgt, voor het feit dat je werkelijk ziek bent; dat het niet ergens tussen je oren zit en dat je – zoals het in de bijbel staat – meteen je bed wil opnemen en wandelen, als het maar enigszins kan.

Genoeg gezeurd, het is vier uur in de namiddag. Ik bel mijn uitgeefster en zeg haar dat ik geen boek kan schrijven met alleen CVS als onderwerp. Het zou heel vlug melig en zuur klinken. Waar het ook maar even kan, zeg ik haar, wil ik er andere fragmenten van mijn leven in verwerken: mijn jeugdherinneringen die nu als een soort tegengif bijna dagelijks naar boven komen; het begrip bij de kinderen en het besef dat An me nooit in de steek liet; het dunne streepje geluk dat ik nog altijd voel; mijn dromen en mijn eenzaamheid.

's Avonds, terwijl An in de tuin een boek leest, bekijk ik voor Hot Doc een documentaire over de getuigen van Jehova. De broeders en zusters mogen geen eigen mening hebben, ze spreken minzaam over het einde der tijden, alsof het een gezellige familiereünie betrof. De Apocalyps is een feest waar zij als enige uitverkorenen naast Jehova plaats zullen nemen. Voor wie het ware geloof heeft, is het leven simpel en het sterven overzichtelijk.

God, sta me bij als ik soms nog twijfel, maar laat me vannacht goed slapen.

><

| *6 augustus 1998* |

Het heeft zeker iets met *Demain, l'Apocalypse,* de documentaire van gisterenavond te maken, want ik heb vannacht een bijzonder vreemde, bijna bijbelse droom gehad.

Na een lange voettocht stond ik aan de muren van een middeleeuwse stad. De avondklok had nog niet geluid en toch waren de poorten al dicht. Ik zag een wachter op de omwalling en vroeg hem hoe de stad heette.

'De gesloten stad,' antwoordde hij.

Maar ik had het landschap en de rivier die langs de wallen liep herkend en ik zei hem dat hij de waarheid niet sprak.

'Ik ben immers in deze stad geboren,' zei ik hem, 'maar al vele jaren niet meer hier geweest. Als poorter van deze stad zou ik tussen de muren willen overnachten, want het is te laat om vanavond nog verder te reizen.'

'Zeg me dan wie de patroonheilige van onze kathedraal is en ik laat je binnen.'

'Sint-Quintinus,' antwoordde ik hem.

De man riep iets naar beneden en de poort werd opengemaakt.

'Vooruit, haast je,' zei de doodsbange soldaat die me binnenliet. 'Heb je soms de rode wolk niet gezien?' Hij wees naar de lage heuvels, achter me. Zo ver als ik kon kijken zag ik een paarsrode gloed. Ik vroeg hem of de Noorderheide in brand stond. Hij schudde zwijgend zijn hoofd en schoof snel de zware poortlegger in de stalen hengsels.

'De wolk komt dichterbij, maak dat je weg komt,' riep de uitkijkpost en voor ik iemand om meer uitleg had kunnen vragen, stond ik alleen in het donkere poorthuis. Achter de stadsmuren hing een beklemmende duisternis, alsof de avond hier al veel vroeger gevallen was. Ik zag geen ander licht dan het rossige schijnsel van de vreemde wolk dat nu over de wallen kroop en de hoogste daken rood kleurde. Ik keek om me heen en liep naar een van de vervallen huisjes vlakbij de poort. Ik klopte aan, de deur bleef dicht, ook al kon ik achter de schamele houten wanden

167

horen dat er nog iemand in huis was. Ik keek door het lage raam naast de deur en zag een oude man die haastig allerlei spullen in een reiskoffer stopte: kleren, boeken, een landkaart en ook de fossielen van pa die we nooit van hem hadden teruggekregen. Het was de meester van het eerste leerjaar. Ik tikte op het raam. Meester Bollen keek me recht in mijn ogen, hij had me herkend, maar hij was bang. Hij nam zijn koffer, smeet de twee grijze leistenen op de tafel en vluchtte daarna weg langs de achterdeur. Ik liep vlug om het huis heen en kwam in een duister steegje terecht, de oude meester was echter nergens te zien. Iemand moest me toch iets meer kunnen vertellen over die vreemde gloed en over mijn vrienden en mijn familie die hier woonde? Struikelend over hobbelige kasseien, kwam ik bij een bredere dwarsstraat die naar de Grote Markt leidde. In een hoekhuis zag ik nog licht branden achter een raam. Ik keek naar binnen. Honderden gevangen vogels – mussen, spreeuwen en merels – fladderden in het rond. Ze sloegen angstig met hun vleugels tegen het vensterglas en doken daarna allemaal tegelijk in een golvende, zwarte zwerm naar beneden. Nu pas zag ik mijn vriendjes, Anton en Jean-Pierre in een hoek van de kamer zitten. Ineengedoken en met hun armen boven het hoofd probeerden ze de nijdig aanvliegende vogels af te weren en van het lijf te houden, maar de overmacht was te groot. De vogels pikten hen waar ze maar konden. Jean-Pierre huilde en Anton had zijn trui over zijn hoofd getrokken. Ik moest hen op een of andere manier helpen, hen van die kwelling bevrijden, want het waren mijn vogels die hen belaagden: de vogels die ik in de Ambachtschool had gevangen. De donkere sliert draaide opnieuw omhoog door de kamer, weer naar het venster. Ik mocht niet meer aarzelen en sloeg met mijn elleboog de ruiten stuk. Bij de eerste slag brak het glas, maar er kwam geen geluid. Scherven en splinters vielen geruisloos op straat. Ik zag de wolk vogels naar buiten vliegen. Geen gekrijs, geen vleugelslag, geen zucht had ik gehoord. Ik keek door het verbrijzelde raam naar binnen. Anton en Jean-Pierre waren verdwenen. Verderop in de Demerstraat zag ik, voor me uit, twee vrouwen die langzaam en gearmd in de richting van de Grote Markt liepen. Ze droegen lange, doorzichtige, witte kleren en ook al was ik nog een heel eind achter hen, ik wist wie ze waren.

'Moeke,' riep ik, 'ik ben het. Wacht op mij, moeke!'

De twee vrouwen hielden stil en keken achterom. Ze glimlachten: moeke en Tant Odile.

Ik liep naar hen toe en gaf hen een zoen, ik voelde een diep en warm gevoel.

'Je moet hier niet blijven,' zei Tant.

'Je moet verder,' zei moeke, 'altijd verder.'

Hun woorden galmden nog even in de lege straat en toen waren ook zij er niet meer.

Ik voelde me droevig en alleen. Ik kon maar niet begrijpen dat iedereen die ik zag en kende er opeens niet meer was; oploste, nog voor ik iets had kunnen vragen. Het leek wel alsof ik niet met hen mocht praten, alsof zij zich net als deze stad voor mij hadden afgesloten. Toen schoot er een helle lichtflits door de wolken. De rode gloed hing nu zwaar en dreigend over de huizen. Hogerop in de straat klonk het bange geschreeuw van honderden radeloze mensen, ze waren allemaal naar de markt gekomen, uit angst voor het nakend onheil.

'Dit is het einde der tijden,' riep iemand.

'We kunnen nergens meer heen,' huilde een vrouw, 'de stad is gesloten en we zitten als ratten in de val!'

Ik herkende het plein niet meer. Waar vroeger fraaie stenen woningen stonden, waren metershoge muren opgetrokken. De markt was langs alle kanten ingesloten als de binnenkoer van een sombere gevangenis. Ik begreep niet waarom iedereen precies naar hier was gekomen, want uit deze hinderlaag was geen ontkomen aan. Toen de wolk boven het plein bleef hangen, brak er paniek uit. De mensen zochten overal een uitweg om te kunnen ontsnappen; ze sloegen met hun vuisten tegen de hoge muren; botsten tegen elkaar en vertrappelden genadeloos wie struikelde. Sommigen probeerden langs een wriemelende toren van armen, benen en lijven over de muren heen te klauteren. Het was een vreselijk schouwspel. Ik voelde vreemd genoeg geen enkele angst. Ik sloeg het rampzalig gebeuren gade, alsof ik niet meer bij deze mensen hoorde en de waanzinnige stad zo spoedig mogelijk de rug moest toekeren. Ik keek omhoog en zag hoe de donkerrode kleuren van de wolk veranderden in lange strepen van geel en blauw. Tussen het licht zweefde een liggende gedaante. Ik herkende mezelf. Ik vloog moeiteloos door de hemel, achteruit en liggend op mijn rug. Ik gleed een paar keer over het plein en zag alle mensen die ik voorheen had ontmoet, hun gezichten waren vertrokken van pijn en angst. Ik wist dat ik hen niet kon helpen, dat ik verder moest. Ik voelde de suizende wind in mijn nek en mijn schouders en vond het vreemd dat ik alleen maar achteruit kon vliegen, dat ik niet recht voor me uit de stad en de straten kon zien, dat ik niet wist waarheen ik vloog. Rechts van mij schoof de klokkentoren van de kathedraal voorbij en even later zag ik hoe de stadsmuren en het forse bastion van de Kuringerpoort in de verte verdwenen. Het zinde me niet helemaal dat ik mijn eigen vlucht niet kon sturen. Opeens dook mijn hoofd naar beneden en ik zag de groene struiken van het Wissebos naast me – ik kon de vogels horen fluiten. Tussen de hoge takken van een berk zag ik onze boomhut en daarachter lagen, naast het asseweggetje, de grijze werkhokken van de steenhouwers. Ik vloog nu onmetelijk snel door andere landschappen en herkende delen van de wereld waar ik vroeger was geweest: de zanderige heuvels van Senegal, de immense sparrenwouden van de Sierra Nevada, de moskeeën van Istanbul, de moerassen van Louisiana, de glinsterende ijsrivieren boven Siberië en de gouden tempels van Kyoto. Ik kon mijn reis niet zelf bepalen. Ik wist niet waar ik nog allemaal zou terechtkomen, maar de wijde wereld gleed aan me voorbij, mooi en diep onder mij.

Het gesuis van de wind nam af en toen werd alles stil en wit.

Ik ben wakker nu, al een hele dag, en moe bovendien door alles wat ik vannacht heb gezien. Wat die droom ook mocht betekenen, het heeft me – ondanks de rode wolk – rustig gemaakt. Wat er in mijn droom geschiedde kan ik aanvaarden: het is de metafoor van mijn leven, het is wat ik nu ben. Het afscheid maakte me triest en ik voelde me achtergelaten, alleen. Maar ik kon ook weggeraken en vliegen, al was het dan op mijn rug en achterstevoren. Ik kon mijn eigen vlucht niet sturen, wist niet wat er komen zou, maar ik zag wel de wereld aan me voorbijschuiven, mijn wereld. Dit was nu eens geen griezelige, eindeloze nachtmerrie, geen onontwarbaar kluwen van onmogelijke, verscheurende beelden zonder samenhang. Het was een helder, geordend verhaal, met een – voor mij geruststellende – boodschap die ik voor de rest van mijn dagen graag zou willen onthouden. Ik lag dan wel op mijn rug, kwetsbaar maar niet machteloos. En achterstevoren vliegen is wellicht mijn manier van reizen: mijn toekomst is minder zeker dan me lief is, maar ik heb – net zoals iemand die in de verkeerde rijrichting van een trein zit – nog altijd iets om naar uit te kijken. Ik moet de gang van zaken op zijn beloop laten, vertrouwen hebben in een achterwaartse vlucht, geloven in mezelf. Het is soms onvoorstelbaar moeilijk om even bevrijd te geraken van die altijd aanwezige, uitputtende verdwazing, maar ik moet het kunnen doen met wat er nog is, hoe klein ook.

Ik heb het gevoel dat ik de laatste weken stilaan begin te begrijpen wat ik voordien volkomen onaanvaardbaar achtte: hoe groot mijn kwetsbaarheid ook is, het is nog altijd niet hetzelfde als krachteloosheid.

Noodgedwongen wellicht, heb ik me moeten vastklampen aan onooglijke en onbelangrijke details: futiliteiten die in de geschiedenis niet rendabel zijn, die in geen enkele handelsbalans genoteerd worden, kleinigheden zoals begrip en tederheid en liefde die achteloos vertrappeld worden in iedere gesloten stad. Die kleinigheden maken het verschil in een wereld die verdrinkt in websites van communicatie, waar draadloos telefoneren alsmaar goedkoper wordt en zeker datgene wat er zoal gezegd wordt.

In het Wissebos droomde ik dat de hele wereld van mij was, later wou ik die wereld verbeteren, nu probeer ik om in die wereld overeind te blijven: voorzichtig schuifelend over wankele stapstenen aan de rand van de weg. Ik moet nog verder, kwetsbaar maar niet krachteloos.

Ik zit in de tuin, het is zomer en ik kijk naar de witte steen. Hij alleen staat rechtop, tussen de gladde zwerfkeien rond de vijver. Een paar jaar geleden vond ik hem in een bergbeek aan de voet van de Grossglöckner: een mooie, witte steen met groene nerven. Hij was gemaakt van hetzelfde marmer als de onbegaanbare bergflank, hoog boven me uit. Waarschijnlijk was hij door een gigantische steenlawine losgeslagen en tot beneden in het dal gerold. Een klein en onbelangrijk stuk van een machtige berg. Telkens ik naar die steen kijk, voel ik de kracht van eeuwenoude rotsen, zie ik de onmetelijke zuiverheid van de hoogste Alpentoppen, voor altijd onbereikbaar voor mijn vermoeide lichaam. Zo zie ik ook nu, in mijn eigen leven, hoeveel kracht er na een schijnbaar verpletterende lawine, nog overbleef. Iedere herinnering, ieder moment is belangrijk. Het kleinste deel spreekt voor het geheel. Alles heeft zijn betekenis.

><

De ambulanciers zijn weg, de ziekenwagen is vertrokken. Nu pas durft Sam in de slaapkamer komen.

'Gaat het een beetje, papa?' vraagt hij, lijkbleek en bang na wat er vannacht opnieuw gebeurd is.

Maar er is nog niks gebeurd, ik heb mijn vijfde tachycardie overleefd. Mijn hart klopt een beetje stroever dan voordien, maar het klopt, terug in de maat.

'Ze waren vlakbij, op de Ring, papa. Goed dat ze hier zo vlug waren.'

'Wat goed dat jullie hier waren,' zeg ik, 'te lang mocht het ook niet meer duren.'

'Ben je niet te moe?' vraagt An.

'Te moe om te sterven, ja... maar niet om te leven.'

Ik knijp in haar hand, blij dat ik bij haar ben. Nog altijd.

><

colofon

Saffloer, Luk
Te moe om te sterven
Overleven met chronische vermoeidheid

Leuven, Davidsfonds/Leuven, 1999
174 p., 22 cm
(Mensen en emoties/Davidsfonds nr. 13)
© 1999, Uitgeverij Davidsfonds/Leuven, Leuven
Blijde-Inkomststraat 79-81, 3000 Leuven
Gedrukt en gebonden bij Walleyndruk nv, Brugge
Vormgeving : perplex | Aalst
Omslagontwerp: Jocelyn Gautama
Omslagfoto: Herman Selleslags
Omslagillustratie: Sven

D/1999/0240/09
ISBN: 90 5826 008 9
Doelgroep: volwassenen
NUGI: 461   SISO: 615.3   UDC: 613.7